# Les cousins Karlsson

## espions et fantômes

Collection animée par Soazig Le Bail.

**Titre original** *Kusinerna Karlsson, Spöken och Spioner*
© Katarina Mazetti, 2012
Publié la première fois par Alfabeta Bokförlag AB

**Pour la présente édition**
© Éditions Thierry Magnier / Gaïa Éditions, 2013
© Gaïa Éditions pour la traduction française, 2013
ISBN 978-2-36474-257-4

**Illustration de couverture** Julia Wauters
**Maquette** Florie Briand

Loi n° 49-956 du 16 juillet 1949
sur les publications destinées à la jeunesse

Cet ouvrage a été achevé d'imprimer
en primeur pour le compte des éditions
Thierry Magnier par l'imprimerie
Normandie Roto Impression s.a.s.
61250 Lonrai en avril 2013
Dépôt légal : mai 2013
Imprimé en France
Numéro d'imprimeur : 131447

Katarina Mazetti

# Les cousins Karlsson
## espions et fantômes

Traduit du suédois par
Marianne Ségol Samoy et Agneta Ségol

EDITIONS
THIERRY
MAGNIER

Gaïa

### *Arbre généalogique des cousins Karlsson*

Grand-père et Grand-mère Karlsson
ont eu quatre filles :

## Ulla
chercheuse, mariée à Allan,
mère de **Julia** et **Daniella**,
surnommée Bourdon.

## Molly
actrice,
mère de **George**.

## Ellen
chef cuisinière,
vit en couple avec Claude Bouclé,
mère d'**Alex**.

## Frida
artiste.

# Chapitre 1
## *Les petits et les grands cousins*

– Il n'est question que de quelques semaines...
D'un petit mois peut-être. Éventuellement de
deux ! explique Ulla Karlsson à sa fille Julia d'une
voix exagérément tendre.

– Deux petits mois !

La voix de Julia monte dans les aigus. On dirait un hamster en colère.

– C'est comment des petits mois ? Maman, on
ne va quand même pas passer deux mois chez
tante Frida ! On la connaît à peine ! On l'a vue

deux fois en tout et pour tout et elle était hyper bizarre. Elle est restée dans sa tour à enrouler de la ficelle autour de vieux morceaux de ferraille. Elle ne nous a même pas donné à manger. À mon avis, elle est un peu siphonnée. Et c'est chez elle que tu veux nous caser pendant tout l'été pour que toi, tu puisses partir en vacances en Inde avec papa?!

Julia Karlsson a douze ans mais elle a la taille d'une adulte et elle aime bien que les gens lui en donnent quinze. Quand quelque chose la touche vraiment, elle ne le montre pas, elle se penche légèrement en arrière et prend un air dédaigneux. À l'école, ça marche bien en général, puisqu'elle dépasse la plupart des garçons de sa classe d'environ une tête. En revanche, avec sa mère c'est une autre affaire.

– Tu crois qu'on a l'intention d'aller se dorer au soleil, ton père et moi? dit Ulla en regardant sa fille de ses yeux bleus. Si on va en Inde, c'est pour faire de la recherche. Et pour participer à des conférences très importantes. Très importantes! Et Frida n'est pas bizarre, elle est artiste. Ce n'est pas la même chose ! Les gens sont prêts à dépenser des fortunes pour ses sculptures en tôle.

– En tout cas, ce qui est sûr c'est qu'elle ne dépense pas son argent en nourriture ! rétorque Julia. Tu te souviens de la dernière fois qu'on est allés la voir sur son île, son garde-manger était totalement vide. Elle avait oublié de faire les courses, disait-elle. Au dîner, elle nous a servi des pâtes saupoudrées de chips au fromage !

– Qui a oublié de faire les courses ? demande Daniella qui apparaît dans l'entrebâillement de la porte, du chocolat et des miettes de pain autour de la bouche.

Daniella est la petite sœur de Julia. Elle a neuf ans et tout le monde l'appelle Bourdon, sans doute parce qu'elle est toute ronde et qu'elle n'arrête pas de faire du bruit. Quand elle ne mange pas, elle parle. Ses joues et ses vêtements témoignent d'ailleurs souvent de ce qu'elle vient d'avaler.

– Essuie-toi la bouche ! lui lance sèchement Julia. Si maman nous envoie chez tante Frida, prépare-toi à passer un été difficile, Bourdon !

Rien à manger dans sa maison et pas un seul marchand de glaces sur son île !

– Pas de glace ?! s'écrie Bourdon affolée.

– Tante Frida te demandera d'enrouler de la ficelle autour de morceaux de ferraille. Sous la chaleur ! Et tu n'auras rien d'autre à manger que des chips au fromage avec de l'eau de son puits !

Julia aime bien taquiner sa sœur.

– Arrête, Julia ! l'interrompt sa mère. Que veux-tu qu'on fasse ? Tu préférerais qu'on vous laisse à la consigne de l'aéroport ? Ou qu'on vous trouve une place dans un chenil ?

– Vous n'avez qu'à prendre Bourdon comme bagage à main. Moi, je pourrai toujours habiter chez une copine ! se vexe Julia.

– Je veux bien habiter dans un chenil, moi ! dit Bourdon.

Bourdon adore les animaux. Tous les animaux. Elle ramène sans cesse des boîtes d'allumettes pleines d'insectes qu'elle essaie de dresser. Elle prétend avoir entraîné une araignée à monter le long d'un fil. Malheureusement, juste après, elle s'est assise sans faire exprès sur la petite bête qui n'a plus jamais réitéré son exploit.

– Pour ce qui est de la nourriture, vous n'avez pas à vous inquiéter. Vous voulez que je vous confie un secret ? poursuit leur mère.

Julia et Bourdon poussent un soupir. Lorsque leur mère prend cette voix mièvre, c'est qu'elle a une idée derrière la tête et qu'elle est persuadée de savoir ce qui est bien pour ses filles.

– Vous aurez de la compagnie chez tante Frida ! Je voulais que ça reste une surprise mais je vous le dis quand même. Vos cousins y vont aussi !

– Nos cousins ? dit Julia sceptique. On ne les voit jamais ! Tu dis toujours que vous êtes tellement différentes, toi et tes sœurs, que c'est une chance que vous habitiez aussi loin les unes des autres ! Qu'est-ce qu'on a comme cousins déjà ? Vous êtes quatre sœurs, résume-t-elle en comptant sur ses doigts : toi, Frida, Molly et Ellen qui vit en France. Frida n'a pas d'enfants, à moins qu'elle se soit mise à se reproduire. Tu parles peut-être du fils de tante Molly qu'on est allés voir à Umeå ? Celui qui n'a pas desserré les dents et qui a passé son temps à rougir et à faire bouger ses oreilles ?

– Oui, c'est ça, George. C'est vrai qu'à l'époque il était un peu timide. Molly part en tournée tout l'été et elle a décidé d'envoyer son fils chez Frida. Vous avez pratiquement le même âge et je suis certaine que vous allez bien vous entendre.

– Cet été, tous mes copains font un stage d'équitation ou de voile ! Et moi, je vais apprendre à faire bouger mes oreilles, dit Julia dégoûtée.

– Moi aussi je veux apprendre ça ! s'écrie Bourdon. Je vais lui demander de me donner des cours. Ça va être génial !

– Et ce n'est pas tout ! poursuit maman d'une voix encore plus sucrée. Sur l'île aux Grèbes vous aurez un petit cuisinier particulier.

– Un cuisinier ? Et pourquoi petit ? demande Julia.

– Votre cousin Alex vient aussi ! Il est le fils de deux chefs cuisiniers.

– Pfff, deux chefs cuisiniers ne peuvent pas avoir d'enfant, rétorque Bourdon.

– Bien sûr que si. Tu crois qu'il n'y a que des hommes qui sont cuisiniers ? Ma sœur Ellen est chef cuisinière et elle a rencontré un chef

cuisinier français à bord d'un paquebot de croisière sur lequel elle travaillait ! Et ils ont eu Alex !

– Qui est né avec une toque sur la tête, dit Julia.

– D'après ma sœur, il est très doué. Maintenant tu arrêtes de faire ta mauvaise tête, Julia !
De toute façon, les choses sont déjà organisées !
Ellen m'a téléphoné, elle et son mari partent
pour une longue croisière. Habituellement, Alex
va chez sa grand-mère française mais Ellen veut
qu'il fasse la connaissance de sa famille suédoise.
Vous partez mardi !

– Est-ce qu'il parle suédois, ce petit chef ? Et
d'ailleurs, il est petit comment ? Il dépasse la hau-
teur du plan de travail, au moins ?

– Il doit avoir sept, huit ans ! répond maman
sur un ton hésitant. C'est vrai que j'ai oublié de
demander. Le temps passe si vite, j'ai l'impression que c'était hier qu'Ellen était enceinte.

– Un garçon de sept ans ! Je vais donc passer
mes vacances à garder Bourdon et un petit cousin de sept ans ? Et pendant ce temps-là, Frida
découpera sa tôle et George fera bouger ses
oreilles ! Merci, maman, merci beaucoup !

– Je ne veux pas que Julia me garde! siffle Bourdon.

– Sept ans c'est grand. D'après Ellen, il parle parfaitement le suédois et il cuisine très bien.

– C'est ça, oui. Il sait préparer sa bouillie, quoi. C'est encore moi qui vais être chargée de faire à manger pour tout le monde! ronchonne Julia.

– Oh nooon! On va manger de la purée de pommes de terre en sachet et des saucisses pendant tout l'été! La dernière fois, tu as oublié d'enlever le plastique avant de les faire cuire! Je vais maigrir, c'est sûr! pleurniche Bourdon.

Bourdon est fière d'être ronde. « Je remplis bien mes vêtements », dit-elle généralement en se caressant le ventre. Si quelqu'un la traite de grosse, elle répond : « Tu devrais être content de ne pas avoir à traîner tous ces kilos comme moi! »

Soudain, Bourdon pense à quelque chose de plus inquiétant :

– Comment on va faire avec Chatpardeur? On va l'emmener avec nous?

Chatpardeur est un gros chat castré au pelage noir, roux, gris et blanc. Un automne, Bourdon a trouvé un petit chaton maigre et frigorifié au fond d'un bois. Elle a eu pitié de lui et a décidé de le ramener à la maison où elle l'a nourri avec tant d'énergie qu'il a atteint sept kilos en un rien de temps. Aujourd'hui, elle arrive à peine à le soulever. Chatpardeur adore surprendre les gens. Il saute et atterrit sur leurs genoux de tout son poids quand ils s'y attendent le moins.

Au début, leur père a beaucoup râlé. Il n'aimait pas que le chat passe ses journées à somnoler sur son imprimante. Chaque fois qu'il imprimait quelque chose, Chatpardeur se réveillait et essayait d'attraper les feuilles avec sa patte, criblant ses rapports de recherche de trous de griffes. Pendant plusieurs semaines, il a menacé de déposer Chatpardeur au service des objets trouvés du commissariat de police.

Mais progressivement, toute la famille s'est attachée à ce chat joyeux et malin qui, en plus, communiquait avec eux de façon surprenante. On aurait dit qu'il parlait. Yaooooooo! Oooaiiii!

Ils ont mis du temps à lui trouver un nom. Pendant longtemps ils l'appelaient tout simplement « le chat ».

– Bien sûr que vous pouvez l'emmener ! dit maman. Puisque vous partez mardi, il faut commencer vos valises. Vous aurez sans doute besoin de nouveaux vêtements d'été. Tu grandis si vite, Julia, ton jean est déjà trop court !

Julia regarde le bas de son pantalon qui s'arrête à mi-mollets, les coutures de son pull à rayures qui sont en train de craquer et ses sandales qui sont si petites que ses orteils dépassent. D'évidence sa mère cherche à se racheter, elle doit négocier au plus vite.

– Un nouveau jean, deux nouveaux pulls et des sandales ! dit-elle rapidement. Et un maillot deux-pièces !

– Et une robe longue et des culottes en dentelles ! ajoute Bourdon d'une voix apprêtée en levant son petit doigt. Et peut-être aussi un beau chapeau !

Bourdon trouve aussi que Julia grandit trop vite, elle fait déjà deux fois sa taille.

Chatpardeur sort du bureau en s'étirant. Il prend son élan, fait un grand bond et atterrit lourdement sur les genoux de Julia qui pousse un gros soupir.

– Yaoooooo ! Oaaaaaiiiii ! dit Chatpardeur.

Ça signifie à peu près : « À manger ! Qui s'en occupe ? »

L'été va être bizarre, pense Julia.

Et elle n'a sans doute pas tort !

## Chapitre 2

## *Le tout petit et le remueur d'oreilles*

– Frida vous attendra à la gare routière d'Öst-hamn, a expliqué la mère de Julia et de Bourdon.

Mais lorsqu'elles descendent du car, il n'y a personne pour les accueillir. Les deux sœurs se rendent dans la salle d'attente où elles s'installent sur un banc avec leurs valises, leurs sacs à dos et la caisse de Chatpardeur.

Bourdon part explorer les environs et revient avec une grosse tablette de chocolat qu'elle engloutit en quelques secondes. Il fait une chaleur étouffante mais Julia n'ose pas s'éloigner du banc. Il ne faut surtout pas rater Frida. D'après leur mère, le petit port d'où partent les bateaux pour l'île aux Grèbes est situé trop loin pour s'y rendre à pied.

– Regarde la fille là-bas, elle a une drôle de tête, on dirait un garçon! chuchote bruyamment Bourdon tout en pointant du doigt une silhouette menue qui leur tourne le dos et dont elles voient surtout une longue queue-de-cheval blonde.

– Enfin Bourdon, c'est un garçon! lui siffle Julia.

Au même moment, la queue-de-cheval se lève et s'approche d'elles avec un énorme baluchon difforme au tissu bariolé.

– C'est vous Julia et Daniella? demande-t-elle.

– Ça se pourrait bien. Et toi, t'es qui? lui lance Bourdon.

– Ben moi, je dois être votre cousin, je suis George, dit-il en rougissant.

Le remueur d'oreilles! Au moins, il a appris à parler, se dit Julia.

– Pourquoi tu as les cheveux aussi longs? lui demande Bourdon en lançant un regard plein de curiosité à son cousin.

– Pour faire la Sainte-Lucie en décembre, lui répond sèchement le garçon. Pourquoi? Ça te dérange?

– Oh non, j'adore les cheveux longs! J'adore faire des nattes! Je pourrai t'en faire? Et toi tu veux bien m'apprendre à bouger mes oreilles? Tu as des animaux? Quel âge…?

Julia donne un coup de coude à sa sœur pour la faire taire.

– Où est Frida, à ton avis? demande-t-elle à George. Tu crois qu'elle nous a oubliés?

– Je n'en sais rien, je ne la connais pas. Tu veux dire que c'est le genre de personne qui oublie d'aller chercher les gens qu'elle a invités? demande George.

Il fait un mouvement agacé de la tête pour se dégager des mains de Bourdon qui a déjà entrepris de lui faire une natte.

– Arrête, Bourdon! dit Julia. Assieds-toi et arrête de bouger pour une fois. Ou alors, va faire un tour avec Chatpardeur.

– Yaaaaaaaoo ! miaule le chat du fond de sa cage.

Bourdon libère l'animal qui saute lourdement de sa cage et s'installe sur le banc d'à côté. Puis elle se tourne de nouveau, pleine d'entrain, vers son nouveau cousin.

– Toi aussi tu as de la bougie qui te coule dans les cheveux quand tu portes la couronne de la sainte Lucie ? lui demande-t-elle. L'année dernière, j'en ai eu tellement que maman a été obligée de me couper plusieurs mèches et après...

– C'était une blague ! soupire George. Je n'ai jamais été la sainte Lucie ! J'ai les cheveux longs parce que c'est trop cher d'aller chez le coiffeur. On n'a pas beaucoup d'argent, ma mère et moi. Avant, c'est elle qui me les coupait mais on ne peut pas dire qu'elle soit très douée pour ça. Elle a failli me taillader l'oreille plusieurs fois. Du coup, je préfère avoir une queue-de-cheval que je raccourcis moi-même tous les six mois.

– En tout cas, tu as une belle couleur de cheveux, un peu jaune, dit Bourdon.

– Toi aussi tu as une belle couleur de cheveux, un peu rouge, rit George.

– Mmmm, c'est vrai que je suis pas mal! dit Bourdon en regardant son reflet dans une porte vitrée. Je me demande de quelle couleur sont les cheveux de l'autre cousin, le tout petit. Au fait, il est où? Peut-être qu'il s'est perdu à l'aéroport en arrivant de France? Il n'a que sept ans et on n'est pas très dégourdi à cet âge-là! Je ne comprends pas qu'ils osent le laisser voyager seul.

Bourdon trouve que ses sept ans à elle remontent à très loin.

– Je ne savais pas qu'il était si jeune, dit George déçu.

– Ta mère non plus ne t'a rien dit sur lui? demande Julia.

– Quand ma mère joue dans une nouvelle pièce, elle oublie tout le reste. Elle se met même à parler comme le personnage qu'elle interprète. Tout à l'heure, quand elle m'a déposé au car, elle m'a caressé la tête en me disant : « Ô, mon fils, que les vents cléments te ramènent bientôt sur nos côtes! » J'espère que tante Frida ne va pas tarder, je meurs de faim!

– Oui, je suis d'accord avec toi, dit Julia au moment où elle aperçoit un petit garçon qui les lorgne de ses grands yeux noirs.

– Ça doit être lui ! chuchote-t-elle aux autres.

Elle se lève et se dirige vers le petit d'un pas décidé.

– C'EST... TOI... ALEX ? lui demande-t-elle en prononçant chaque mot bien fort et bien distinctement pour qu'il la comprenne.

Effrayé, le garçon se tourne vers une grosse dame blonde assise sur un banc en lui disant avec l'accent du sud de la Suède :

– Maman, y a une fille qui me crie dessus !

Sur un banc juste à côté est assis un garçon bronzé avec une longue mèche qui lui tombe sur le front. Il regarde Julia en riant.

– Pourquoi tu rigoles ? lui lance Julia énervée.

– Parce que Alex, c'est moi ! répond-il.

# Chapitre 3
## *Achetez ce que vous voulez !*

En réalité, Alex n'a pas sept ans mais douze. Il a les cheveux bruns et brillants et porte une grosse doudoune. C'est sa grand-mère française qui a insisté pour qu'il la prenne à cause du « climat rigoureux » en Suède.

Alex s'avance vers le petit groupe et, à la surprise de tous, il leur fait la bise. Même à George, qui devient écarlate. Il ne sait plus quoi faire de sa main tendue et lui donne une tape maladroite dans le dos.

– Et Chatpardeur, tu l'oublies ? demande Bourdon à Alex en pointant du doigt le gros chat qui est en train de se lécher les babines après avoir avalé un morceau de saucisse qu'il a trouvé sous le banc.

– Je n'embrasse pas les chats ! répond Alex.

Alex parle un suédois parfait, mis à part les « r » qu'il roule d'une manière très bizarre. On dirait qu'ils viennent du fond de sa gorge.

– En Suède, vous embrassez les animaux ?

– Niaoooooon ! miaule Chatpardeur.

Tout le monde éclate de rire.

– Il a dit « Non » en français, sourit Alex. Je suis vraiment heureux de vous rencontrer. Moi qui avais très peu de famille, juste mes parents et mes grands-parents français, voilà que je me retrouve avec une bande de cousins ! Et vous vous appelez tous « Kalsson », comme moi !

Il le prononce comme « caleçon ».

– KaRlsson ! le reprend Julia. Si tu ne prononces pas bien le « r », ça veut dire autre chose !

– Oui, je sais. En français aussi, soupire Alex. Je peux vous dire qu'ils en rigolent dans ma classe. Tous les jours, je suis obligé de me battre avec ceux qui se moquent de mon nom.

– Tu leur tapes dessus? demande Bourdon impressionnée. Tu les mets KO et tout?

– À la fin de la journée, il y a des monceaux de gens que j'ai mis KO dans la cour! dit Alex en lui faisant un clin d'œil. Enfin, je trouve quand même ce petit jeu assez fatigant alors j'essaie de persuader ma mère d'épouser mon père pour que je puisse m'appeler Bouclé comme lui. Mais ma mère dit qu'elle est beaucoup trop jeune pour s'engager... ça fait quinze ans qu'ils sont ensemble.

– Mes parents non plus ne sont pas mariés, dit George, et c'est tant mieux parce que ça fait un bout de temps qu'on n'a pas vu mon père. Il est parti en tournée en Allemagne il y a quelques années et il n'est jamais revenu. Mais il m'envoie toujours une carte à Noël qui vient d'Allemagne alors je suppose qu'il est resté là-bas.

Julia et Bourdon échangent un regard consterné. Un père qui a tout simplement disparu?

– Nos parents à nous sont mariés! dit rapidement Julia. Mais notre mère n'a pas voulu prendre le nom de notre père, du coup c'est lui qui a pris le sien. En Suède, c'est possible de faire ça. Notre père s'appelait Svinhuvud. Tu sais ce que ça veut dire? Tête de cochon! Tous les deux ils trouvaient ça trop moche et notre mère a dit « Je refuse de m'appeler Madame Tête de cochon! » et c'en était fini de cette histoire. Maintenant on s'appelle Karlsson, tous les quatre. Tous les cinq avec Chatpardeur. C'est drôle, non? conclut-elle en adressant un sourire à Alex.

– Mais il manque une Karlsson! fait remarquer George. Tante Frida! J'ai tellement faim que si elle tarde, je vais finir par récupérer des vieux bouts de saucisse sous les bancs, comme votre chat.

– Si tu veux, tu peux avoir une tranche de saucisson, propose Alex en sortant un paquet de son sac à dos. J'ai préféré apporter un peu de nourriture de France puisque ma mère prétend qu'en Suède vous mangez de drôles de trucs comme du poisson pourri. C'est vrai?

– Du poisson pourri? Ah, elle parle du hareng fermenté! explique Julia. Il y a des gens qui aiment ça mais moi je déteste. Plutôt faire griller Chatpardeur que d'avaler cette horreur!

D'un geste protecteur, Bourdon met ses bras autour de son chat.

Soudain, la porte vitrée de la salle d'attente s'ouvre et une femme robuste en salopette apparaît. Elle a les cheveux négligemment relevés sous une grande casquette sur laquelle est écrit « Quincaillerie Jonsson ». Son pull aux couleurs vives avec quelques fils de laine qui pendouillent ici et là semble être tricoté main.

Elle s'avance vers eux d'un pas décidé en les dévisageant.

– Les cousins Karlsson! C'est vous? Vous êtes vraiment nombreux. Mais c'est très bien, plus on est de fous, plus on rit! Je suis Frida!

Elle les prend dans ses bras l'un après l'autre. Alex lui fait la bise comme en France et Frida lui adresse un grand sourire.

– Ma voiture est garée devant!

– On va sur l'île en voiture? s'étonne Bourdon.

– Non, on s'arrêtera au port, ensuite on prendra le bateau. Mais avant, il faut aller faire les courses !

Tout le monde prend ses bagages et sort de la salle d'attente en file indienne. Après avoir chargé le coffre, les cousins montent dans la voiture qui est un combi bleu avec de grosses tulipes peintes sur les portières.

– Il a fallu que je peigne mon camion pour le reconnaître, explique Frida. J'ai du mal à faire la différence entre toutes les marques et je me suis déjà trompée plusieurs fois.

Frida continue à parler jusqu'à ce qu'ils arrivent devant un énorme centre commercial à la périphérie de la ville.

– Prenez un caddie chacun, et remplissez-le de ce que vous aimez ! Je viens d'être payée pour une grande décoration murale que j'ai faite pour le restaurant Berns, j'ai donc les moyens. Oui, j'ai les moyens ! On se retrouve aux caisses.

Les enfants sont émerveillés. Ils attrapent des caddies et s'engagent dans les grandes allées du magasin.

Vingt minutes plus tard, George, Julia et Bourdon se rendent au lieu du rendez-vous. George, qui est presque mort de faim, a chargé son caddie de pizzas surgelées et de différentes sortes de glaces. Dans celui de Julia, il y a du shampoing, un tas de magazines et des livres de poche. Le caddie de Bourdon est rempli de tablettes de chocolat, de sachets de bonbons et de chewing-gums. Il y a aussi un gros paquet de céréales au chocolat, une énorme boîte de chocolat en poudre, plusieurs pots de confiture et un pot de Nutella.

Sans commentaires, tante Frida regarde le contenu des caddies. Puis elle demande où est passé Alex.

– Ici ! dit une voix juste à côté.

Derrière un caddie surchargé, elle devine la mèche d'Alex. George s'écarte discrètement au cas où son cousin français aurait de nouveau l'idée de lui faire la bise.

– Pfff, mais qu'est-ce que vous avez prrris ! s'exclame Alex après avoir jeté un œil dans les caddies de ses cousins. Ce n'est pas sérrrrieux tout ça ! Pas de pain, pas de viande, ni de poisson, ni d'œufs et pas un seul légume ! Vous comptez vous nourrrrir de bonbons et de shampoing ?

Ses drôles de « r » s'entendent encore plus quand il s'énerve.

– Toi tu préfères sans doute des escargots et des grenouilles ! grogne Bourdon qui a entendu dire que c'est ce qu'on mange en France.

Elle a bien l'intention de convaincre son cousin que ces petites bêtes méritent un meilleur destin !

À la caisse, ils se donnent tous un coup de main, tante Frida paie et ils chargent le tout dans la voiture.

George, qui est assis à l'arrière, grelotte de froid avec son gros sac de produits surgelés sur les genoux. Il sent que ses glaces sont en train de fondre.

– Tante Frida, j'espère que tu as un grand congélateur ! dit-il.

– Un congélateur ? Mais je n'en ai pas. Ah non, je n'ai pas ça, moi ! lui répond Frida.

George pousse un gros soupir en levant les yeux au ciel.

## Chapitre 4

### *La tour aux pièces étonnantes*

Le bateau taxi d'Östhamn fait plusieurs voyages pour transporter les cousins et leurs bagages jusqu'à l'île aux Grèbes. Un sentier mène du petit port jusqu'à la maison de Frida. Les cousins avancent tant bien que mal avec leurs sacs à dos, leurs valises, les courses et la cage du chat.

C'est une vieille maison qui a appartenu à un pilote côtier et juste derrière se dresse une grande tour avec une pièce entièrement vitrée à son sommet.

– Autrefois c'était la tour du pilote côtier, explique Frida essoufflée, une valise dans chaque main.

– C'est quoi un pilote côtier ? demande Bourdon.

– C'est quelqu'un qui aide les bateaux à entrer dans le port. Il sait où se trouvent les récifs et explique aux capitaines par où passer pour les éviter. La tour lui permet de surveiller et de vérifier qu'il n'y ait pas d'embarcation en difficulté. Mais cette tour ne sert plus et j'y ai installé mon atelier. J'ai l'impression de travailler dans le ciel. Venez voir ! J'ai une surprise pour vous ! C'est là que vous allez habiter.

Frida pousse la lourde porte, entre et ouvre les rideaux. Un tas d'objets, de caisses et d'étranges sculptures en tôle et en ficelle encombrent le rez-de-chaussée. Un escalier en colimaçon dessert les trois étages.

Les cousins grimpent jusqu'au premier à la queue leu leu.

Arrivés sur le palier, ils découvrent avec étonnement une pièce spacieuse baignée de lumière avec une grande fenêtre et un balcon. Contre un des murs se trouvent des lits superposés avec des plaids en patchwork aux couleurs vives. Le balcon donne sur le jardin de Frida. Au loin, on voit la forêt de l'autre côté de l'île aux Grèbes. Mais le plus étonnant est que la nature s'est immiscée dans la pièce : des arbres, de gros rochers et des rayons de soleil, qui illuminent les troncs, sont peints sur les murs. L'illusion est tellement parfaite qu'on a la sensation de se trouver en pleine forêt !

– Qui a fait ça ? On a l'impression de pouvoir marcher parmi les arbres, dit George ébahi.

– C'est ça ma surprise. J'étais sûre que ça vous plairait. Cette technique s'appelle « trompe-l'œil ».

– Ah je connais, c'est du français ! s'exclame Alex. Tante Frida, tu es vraiment douée !

– Bourdon et moi, on aimerait dormir dans cette chambre, dit Julia. S'il te plaît, dis oui !

– C'est justement ce que j'avais prévu, les filles. Laissez vos valises et la cage du chat ici et montons au deuxième étage.

La chambre suivante est également meublée de lits superposés avec de grands plaids colorés. Cette fois, le balcon donne sur la mer et on entend même le clapotis des vagues. Mais ce que la pièce a de plus impressionnant, ce sont les murs, ici aussi. Sur chacun est peint un paysage différent, le même que celui qu'on voit à travers les fenêtres : le ciel, la mer et une plage de galets. Et partout des oiseaux : dans leurs nids, virevoltant dans le ciel ou posés sur des arbres. C'est magique.

– Les garçons, c'est ici que vous habiterez. Évitez de ronfler, le son passe par l'escalier et se répand dans toute la tour. Vous voulez aussi jeter un œil à mon atelier ?

George se dépêche de se débarasser de son gros baluchon sur le lit d'en bas et les quatre cousins grimpent jusqu'au dernier étage. Tous les murs sont blancs et au milieu de la pièce trône un canapé. Le soleil inonde l'atelier à travers les grandes fenêtres qui donnent dans toutes les directions, offrant une vue imprenable jusqu'à l'horizon.

– Regardez ! s'écrie George en pointant du doigt la fenêtre côté nord. J'ai cru voir quelqu'un derrière les arbres ! Il y a d'autres personnes qui habitent ici ? Je pensais que tu étais la seule, tante Frida ?

Tout le monde se presse autour de lui. Tante Frida, elle, semble préoccupée.

– En effet, je me pose la question, dit-elle. Normalement, il n'y a que moi sur cette île. Je veux dire, personne d'autre ne vit ici. Mais depuis quelque temps j'ai remarqué... on dirait que... Non, on parlera de ça plus tard ! s'interrompt-elle. Oui, c'est mieux ! Vous n'avez pas faim ?

– Siii ! crient quatre voix à l'unisson.

– Miaooouuu ! s'y ajoute une cinquième.

Ils laissent leurs valises et dévalent l'escalier. Frida ouvre la porte peinte en noir de sa petite maison aux volets également noirs et fait entrer les enfants, chacun avec son sac de course à la main. George pousse un gros soupir quand il voit le contenu du sien. La glace a fondu et coule à grosses gouttes sur les boîtes de pizzas.

Chatpardeur se fraie un passage entre ses jambes, enfonce sa tête dans le sac et se met à laper goulûment. De temps en temps, il fait une pause et pousse un miaulement : OUiiiiii !

– Je crois qu'il chante ! Alléluia, alléluia ! commente Bourdon.

## Chapitre 5
### *Au travail !*

La maison de tante Frida est très agréable. Elle ne se compose que d'une seule pièce avec, à un bout, un coin cuisine équipé d'un gros frigo rétro et dont un des murs est presque entièrement recouvert d'un rideau aux couleurs vives. Dans le plan de travail il y a un évier en porcelaine. Julia s'y dirige pour se laver les mains... mais où est le robinet ?

– Le robinet ? répète tante Frida. Mais ma petite chérie, je n'ai pas l'eau courante ! Je vais chercher l'eau au puits, là, dehors. Oui c'est ça, je vais la chercher au puits ! Tu trouveras un seau avec une louche sous l'évier.

– Une louche ? Tu veux dire que je vais me laver d'une main et tenir la louche de l'autre ? grommelle Julia.

Le reste de la pièce est une salle spacieuse avec une cheminée, des canapés sur lesquels sont posés des tas de coussins de différentes couleurs et, un peu partout, des bougies et des lampes à pétrole. Toutes les fenêtres donnent sur la mer. Les murs sont tapissés d'étagères char-gées de livres et d'objets ramassés au bord de l'eau : des bouts de bois blanchis et polis par la mer, des bouchons de pêche et des plumes. Dans un coin, il y a un lit à baldaquin dont les rideaux sont fermés.

– C'est ici que je dors ! annonce Frida.

– Où est la télé ? demande Bourdon en balayant la pièce du regard.

– La télé ? répète Frida. Non, je n'ai pas ça, moi. Je n'ai pas de télé !

Pas d'eau, pas de congélateur, pas de télé ! Julia pousse un gros soupir.

– Bref, on passera l'été à transporter de l'eau et à couper du bois, comme dans un camp de scouts, dit-elle à George à voix basse.

– Au moins, on n'aura pas à dormir sous la tente, lui répond-il.

Alex, lui, est resté dans la cuisine. Visiblement mécontent, lui aussi. Les enfants l'entendent râler en français, de plus en plus fort.

– Mais qu'est-ce qu'il y a ? lui demandent-ils.

– Comment voulez-vous que je cuisine ici ? dit-il furieux. Pas de cuisinièrrre ! Pas de fourrr ! Il va falloir qu'on mange tes saletés de pizzas industrr-rielles, George ? Et frrroides en plus !?

Il prend son rôle de cuisinier très à cœur, constate Julia. Enfin, je préfère que ce soit lui plutôt que moi ! se console-t-elle. Et ce n'est certainement pas Frida qui sauvera la situation, elle qui n'a acheté que des vis, de la ficelle et un gros paquet de chips au fromage.

– Du calme, mon garçon ! rit Frida. Bien sûr que j'ai une cuisinière, et magnifique en plus ! Mais je ne m'en sers jamais puisque je me nourris de tartines et de yaourts !

Frida ouvre le grand rideau coloré derrière lequel se cachent un vieux fourneau en fonte, un foyer ouvert avec une hotte et une table de cuisson au gaz. Au-dessus est fixée une barre de fer sur laquelle sont accrochés des ustensiles de cuisine et une batterie de casseroles.

Alex pousse un cri de joie.

– Wouah, voilà mon atelier ! Je préfère vous dire que ce n'est pas seulement pour vous faire plaisir que je vais cuisiner, mon but est de devenir le plus grand chef du monde. Je serai riche et célèbre… je ferai des émissions de télé et je voyagerai partout. Les cuisiniers français sont réputés dans le monde entier !

George n'en peut plus.

– Mais ça va te prendre des années tout ça, non ? gémit-il. Moi j'ai faim MAINTENANT, tant pis si je dois avaler mes saletés de pizzas surgelées à la glace fondue !

Ils s'installent autour de la petite table pour manger les pizzas froides de George. Alex fait comme les autres en frissonnant de dégoût, mais il donne la moitié de sa part à Chatpardeur.

– Demain matin au petit déjeuner, je vous ferai des galettes ! déclare-t-il plein d'entrain.

Ils acquiescent tous d'un signe de tête bien que personne ne sache ce que c'est. Bourdon pense qu'il s'agit de quelque chose qui ressemble à des petits chapeaux.

– Et maintenant on fait quoi ? demande Bourdon une fois le repas terminé. Qu'est-ce qu'il y a à faire sur ton île, tante Frida, vu que tu n'as pas la télé, pas d'ordinateur, pas de trampoline comme à la maison, pas de balançoire, pas de vélo, pas de skate-board... ?

– Vous pouvez toujours couper du bois, faire la vaisselle et retourner le champ de pommes de terre ! répond sèchement Frida. Et le bateau a besoin d'un bon coup de peinture, la pelouse a besoin d'être tondue, les plates-bandes ont besoin d'être désherbées. Et moi, j'aurais besoin d'aide pour mes sculptures, oui, j'en aurais bien besoin !

Les quatre cousins sont horrifiés. Elle les aurait invités pour les faire travailler ?! Quel bel été en perspective !

Frida promène son regard sévère de l'un à l'autre. Au bout d'un moment, les quatre cousins s'aperçoivent que ses lèvres tremblent légèrement et ils entendent des petits gémissements s'échapper de sa gorge. Soudain un rire éclate, un grand rire long et sonore.

– Ha ha ha ha ha ! glousse-t-elle. Si vous voyiez vos têtes ! Vous pensez vraiment que je vous ai fait venir ici pour vous utiliser comme main-d'œuvre gratuite ? Pour qui me prenez-vous ?

Toujours en riant, Frida se laisse tomber de tout son poids sur la banquette. Les quatre cousins se regardent puis s'esclaffent à leur tour. La cuisine résonne de leurs rires soulagés auxquels se joint bientôt le miaulement de Chatpardeur qui, allongé par terre, est littéralement assommé par les quantités de glace et de pizza qu'il a avalées.

– Mettez-vous bien dans le crâne ce que je vais vous dire ! hoquette Frida en s'essuyant les yeux d'un revers de main. À partir de maintenant, vous êtes en vacances et vous êtes libres comme l'air ! Il y a plein de choses à faire sur l'île. Vous pouvez vous baigner, jouer à des jeux de société, grimper dans les arbres, faire la sieste, bronzer, vous promener en barque, vous lancer dans des constructions, partir à la chasse aux trésors... Mais vous avez sans doute compris que je n'ai pas vraiment la fibre maternelle et que je ne suis pas du genre à vous organiser les choses, ni à vous préparer des petits plats. Non, il ne faut pas compter sur moi pour ça !

Tous se mettent à faire des projets. Qu'est-ce qu'ils ont envie de faire ? C'est assez inhabituel de ne pas avoir de contraintes. Généralement ce sont les parents, les profs ou d'autres adultes qui prennent les décisions pour eux.

Julia pense aux magazines et aux livres de poche qu'elle vient d'acheter. Et à la bibliothèque bien garnie de Frida. Elle décide de repérer l'endroit idéal, un lieu où personne ne la trouvera, où elle pourra passer son temps à lire. C'est ce qu'elle aime plus que tout.

Alex, lui, rêve de toutes les bonnes recettes qu'il va pouvoir essayer sans avoir ni ses deux parents cuisiniers ni sa vieille grand-mère, chef elle aussi, sur le dos pour lui donner des conseils.

Bourdon se tourne vers la fenêtre et promène son regard sur la pelouse, sur le jeu de croquet et le filet de tennis, sur les arbres dans lesquels elle va pouvoir grimper et sur les groseilliers qu'elle va pouvoir dévaliser. Au loin, au-delà de la petite plage de sable fin, elle voit la mer étinceler. Il y a tellement de choses à faire et ses super cousins sont là avec elle ! Pensive, elle hoche la tête.

Chatpardeur, lui, ouvre un œil paresseux vers une petite souris qui sort sa tête d'un placard. Il se dit qu'il s'occupera d'elle dès qu'il en aura le courage.

Quant à George, il se réjouit en pensant au secret qu'il a emporté dans son baluchon.

Chapitre 6

## Le *fantôme blanc*

Après leur dîner raté de pizzas froides macérées dans de la glace à la vanille, ils se séparent pour vaquer chacun à ses occupations. Alex va dans la cuisine ranger ses courses. Les trois autres l'entendent chantonner ses chansons pleines de « r » français.

Frida déclare qu'elle doit aller compter les boîtes de conserve dans la cave.

– Pourquoi ? s'étonne Bourdon.

– Parce que je veux savoir combien on en a ! répond-elle sur un ton évasif.

– Pourquoi tu veux savoir ça ? Tu fais collection de boîtes de conserve ?

Bourdon est elle-même une grande collectionneuse. Elle collectionne des cartes Pokémon, des autocollants, des gommes et même, pendant une période, des sachets de thé. Mais une collection de boîtes de conserve ? Quelle idée ! Il faut quand même pouvoir en ouvrir une de temps en temps pour en manger le contenu. Bourdon trouve qu'on ne devrait collectionner que des choses qui ne servent pas, mais le premier soir, elle décide d'être gentille et de ne pas faire de commentaires.

– Tu veux que je t'aide à les trier ? propose-t-elle.

Tante Frida fait un signe de refus et prend la direction de la cave. Bizarre !

Julia est étrange, elle aussi. Elle fouille tous les tiroirs de la cuisine à la recherche de ciseaux. Elle trouve finalement une paire de gros ciseaux orange et très moches, puis elle attrape son sac de livres et de magazines et s'en va vers la tour.

– Je pensais aller lire un peu… dit-elle d'une voix aussi évasive que celle de Frida.

– Avec des ciseaux ? demande Bourdon.

– Oui… si jamais je trouve des trucs intéressants à découper dans les magazines… ou si j'ai un ongle cassé… ou si j'ai envie de me couper les cheveux… s'embrouille-t-elle avant de disparaître.

– Un QI de nain de jardin… murmure Bourdon à Alex en se tapant la tempe avec l'index. C'est peut-être ce qui se passe quand on vit trop près de la nature ?

Mais Alex ne l'écoute pas. Il continue de râler parce qu'il ne trouve pas d'autres épices que du sel et du poivre.

– Qu'est-ce que j'en ai à faire ! lui lance Bourdon qui commence à en avoir assez de tous ces comportements bizarres.

Elle décide d'aller faire un tour et appelle Chatpardeur pour l'accompagner, mais le chat vient de repérer le trou de la souris dans le placard et n'a pas vraiment envie de la suivre. Il cède finalement à l'insistance de Bourdon et part se promener avec elle en faisant des huit avec sa queue.

La lumière commence à décliner et la soirée s'installe doucement. Bourdon emprunte le sentier qui mène à la grille de la maison et qui se poursuit dans la forêt. Après avoir marché un petit moment, elle s'immobilise. Elle a entendu un bruit! On dirait que quelqu'un est en train de casser des branches et d'arracher des feuilles. Chatpardeur dresse l'oreille et se fige, lui aussi. Bourdon écoute de nouveau mais, à part le bruissement de la mer dans le lointain, le silence est total. Elle continue son chemin.

Soudain, elle entend de nouveau le bruit de branches qui se cassent, cette fois plus distinctement. Elle a même l'impression de voir quelque chose bouger dans un petit bosquet un peu plus loin. Il y a quelqu'un?

– Hé ho? appelle-t-elle d'une voix mal assurée.

Un grognement, ou peut-être un toussotement, lui parvient en guise de réponse. Chatpardeur se met à cracher. Il a visiblement entendu quelque chose, lui aussi.

Une grande frayeur se saisit de Bourdon. Chez elle, dans son lotissement en ville, il ne se passe jamais rien de surprenant. Si on entend un bruit, on peut toujours l'identifier. Il vient soit des voisins qui passent, des oiseaux, d'un chien, ou bien d'une voiture, ou d'une tondeuse. Alors qu'ici, tout est nouveau et mystérieux. C'est peut-être un animal qui s'est caché dans le bosquet? Y a-t-il des bêtes sauvages sur l'île aux Grèbes? Et si c'est le cas, sauvages à quel point? Bourdon tourne les talons et regagne la maison à toute vitesse.

Elle trouve tante Frida en train de remonter de la cave, elle semble toujours aussi préoccupée.

– Tante Fri-hi-da? halète Bourdon. Est-ce qu'il y a des animaux sauvages sur ton île? Des loups ou des élans ou encore pire?

Frida la regarde avec étonnement.

– Ici il n'y a rien de plus sauvage que des grèbes. Quelques putois à la rigueur.

Bourdon a honte. Elle qui s'est tellement vantée de n'avoir peur de rien, sauf des contrôles de maths et des gastros! Mais sûrement pas des animaux! Une fois, elle a même soulevé une vipère avec une pelle pour que Chatpardeur ne se fasse pas piquer. Et elle adore les araignées, les vers de terre et les grenouilles. Jusqu'à présent, la peur était pour elle un sentiment inconnu. De retour à la maison, entourée des autres, elle retrouve progressivement son calme. Elle s'assoit sur la balancelle pour souffler.

Julia sort de la tour, suivie de George.

– Je suis un peu fatiguée, dit-elle à Frida en bâillant. Je prendrais bien une douche avant d'aller me coucher. Elle est où, la douche, tante Frida ?

– La douche ? répète Frida.

– Ah oui, c'est vrai... soupire Julia.

Il n'y a ni douche ni eau chaude sur l'île aux Grèbes. Pour les grandes occasions, Frida fait chauffer de l'eau et se lave dans une bassine. Mais pour ce qui est de la toilette quotidienne, elle se sert de son savon spécial eau de mer et descend tout simplement au ponton. Elle passe son savon aux enfants qui partent tous ensemble à la petite plage avec leur serviette à la main. Ils descendent dans l'eau pour se débarbouiller et constatent que le petit savon mousse très bien. À la surprise de Julia, l'eau salée se révèle agréablement rafraîchissante. Puis, tout le monde se sèche et remonte en courant retrouver la chaleur de la maison.

La nuit est tombée, les quatre cousins souhaitent bonne nuit à leur tante, grimpent l'escalier en colimaçon et se glissent entre les draps.

Ils laissent la porte des balcons entrouverte pour profiter de la fraîcheur de la nuit et du clapotis de la mer.

– Bonne nuit! se crient-ils d'un étage à l'autre.

Chatpardeur a le droit de dormir dans le lit de Julia. Il se blottit contre ses jambes et se met à ronronner. Au bout de quelques minutes, les nouveaux occupants de la tour dorment profondément.

Au beau milieu de la nuit, Julia est réveillée par un petit bruit. Elle reste un moment immobile dans son lit à tendre l'oreille pour essayer de le localiser, mais le silence est vite revenu, elle n'entend plus que la respiration régulière de sa sœur au-dessus d'elle. Elle se lève et va sur la pointe des pieds jusqu'au balcon pour jeter un œil dans le jardin.

Mais qu'est-ce que...?

Son cœur se met à cogner dans sa poitrine. Une forme blanche fantomatique se déplace silencieusement dans le jardin. On dirait qu'elle glisse au-dessus du sol. Et elle n'a pas de tête! Son corps se termine en pointe, comme les fantômes dans les bandes dessinées.

Ça ne peut pas être vrai! Je rêve! Je suis en train de dormir et je rêve! se dit Julia.

Elle se pince fort pour se réveiller et pousse un petit cri de douleur. Le fantôme, lui, continue à évoluer lentement. À la place de son visage il n'y a qu'un trou noir. Non, elle ne rêve pas!

Julia sent son cœur cogner si fort qu'il devrait réveiller les autres. Elle inspire profondément et se prépare à hurler de toutes ses forces lorsqu'elle voit la forme blanche s'installer sur la balancelle.

Est-il possible que les fantômes s'assoient sur des balancelles? C'est peut-être un être humain? Et dans ce cas, ce serait qui? L'idée qu'un étranger se promène dans le jardin tout de blanc vêtu lui paraît aussi effrayante que si c'était un fantôme!

Les nuages se déchirent dans le ciel et la lune éclaire la forme blanche qui lève soudain la tête.

Julia retient son souffle. Elle reconnaît ce visage! C'est Frida! C'est sa tante qui est assise sur la balancelle dans sa robe de chambre blanche, la tête cachée sous la capuche. L'illusion qu'elle flottait au-dessus du sol venait de ses chaussures sombres.

Qu'est-ce qu'elle fait dehors au beau milieu de la nuit ? Julia regarde sa montre. Deux heures trente ! Elle n'arrive pas à dormir, elle non plus ?

On dirait qu'elle fait le guet, se dit soudain Julia. Mais pourquoi ?

Chapitre 7

# *Mystère sur la plage*

Le matin suivant, les cousins sont réveillés par un vacarme terrible provenant du jardin. Un bruit métallique qui se répète plusieurs fois, comme si un atelier de ferronnerie s'était installé sous leurs fenêtres durant la nuit. Bourdon bondit de son lit et court jusqu'au balcon avec Chatpardeur à ses trousses.

– C'est Alex! crie-t-elle à Julia. Il a accroché une grande plaque de tôle de l'atelier de tante Frida à un arbre et il cogne dessus avec un maillet de croquet!

– Debout! hurle Alex. Ceci est un gong et quand je tape, ça signifie que le petit déjeuner est prêt!

– Pfff, faire autant de bruit parce qu'il a fait griller quelques tranches de pain, bougonne Julia en se mettant la tête sous l'oreiller.

Encore tout ensommeillés, Julia, Bourdon et George s'habillent, descendent les escaliers en traînant les pieds et se dirigent vers la maison de tante Frida. Une petite pluie fine vient de tomber et le soleil fait étinceler les gouttes sur les feuilles des arbres et des buissons. On dirait que la nature a fait sa toilette du matin.

– Vous voyez ce que je vois? dit George en montrant du doigt la table du jardin à côté de la balancelle.

Alex se tient à côté et s'incline pour inviter ses cousins à prendre place. Comme un chef dans une émission de télé.

Sur la table il y a un pain tressé, des petites saucisses rouges, un gros fromage et, au milieu, un grand plat rempli de quelque chose qui ressemble à des crêpes fourrées pliées en carré.

George en a l'eau à la bouche. Il a tellement faim. Il a toujours faim.

– Mes fameuses galettes ! annonce Alex avec fierté. Je les ai faites ce matin. En France on mange généralement un croissant avec de la confiture au petit déjeuner mais vu le dîner d'hier, je me suis dit que vous auriez sans doute faim.

Les galettes au jambon, aux œufs et au fromage râpé sont délicieuses. Les enfants en mangent tellement qu'ils peuvent à peine bouger quand tante Frida sort de sa chambre en clignant des yeux face au soleil. Elle a tout juste le temps d'attraper la dernière galette avant que Bourdon y plante sa fourchette.

– Quel festin, Alex ! dit George. Je n'ai jamais eu un petit déjeuner aussi copieux de ma vie.

– Ah bon ? Et qu'est-ce que tu manges le matin ? demande Alex.

– Ce que je mange ? En général je me réveille le plus tard possible et je prends ce que je trouve dans le frigo avant d'aller à l'école. Parfois je ne trouve rien, alors je me contente d'un chewing-gum, par exemple.

– Et Molly en pense quoi? demande Frida. Quand on était petites, mes sœurs et moi, elle avait faim en permanence. Le matin, il fallait faire vite pour être sûres d'avoir de la bouillie!

– Ce n'est plus le cas, explique George. Maman a peur de grossir et est tout le temps au régime. D'ailleurs, comme elle rentre très tard du théâtre, elle ne se lève jamais avant midi.

– À propos de rentrer tard... dit Julia en lorgnant sa tante. Que faisais-tu dehors en pleine nuit? Je t'ai vue sur la balancelle.

– Eh bien... je... j'ai eu l'impression d'entendre du bruit. Mais ça devait être un animal... peut-être un lapin... dit Frida en évitant le regard de Julia.

Un lapin? pense Julia. Alors ce serait un lapin particulièrement bruyant! Elle a forcément entendu autre chose mais elle ne veut pas nous inquiéter. Je me demande bien ce que ça peut être?

– Mmm... ce que c'est bon! Ce serait peut-être pas mal d'aller vivre en France, dit George en enfournant un gros morceau de fromage et une rondelle de saucisse.

– Moi, le matin je mange des céréales avec de la confiture et des raisins secs et je bois du chocolat, dit Bourdon. Et je mange aussi des petits gâteaux à la confiture et peut-être une tartine au Nutella.

– Cette gamine ne se nourrit que de sucreries, explique Julia aux autres. Avant tes quinze ans, tu pèseras plus de cent kilos, Bourdon !

– Génial ! Comme ça je flotterai plus facilement ! rétorque-t-elle tout en tapotant son ventre rond. Comme un ballon de plage ! Moi qui adore me baigner. D'ailleurs, vous n'avez pas envie d'aller piquer une tête ?

Ils enfilent tous leur maillot de bain et descendent à la crique. Ils se jettent dans l'eau, encore fraîche après la nuit, en éclaboussant tout sur leur passage. Puis ils remontent se sécher au soleil. Chatpardeur s'installe sur le ventre de Julia mais se fait vite repousser. Julia veut lire son *Mickey Parade*.

Incapable de rester longtemps au même endroit, Bourdon part à la recherche de coquillages.

Soudain, ils l'entendent appeler :

– Venez voir ! J'ai trouvé quelque chose de bizarre !

Les autres se lèvent à toute vitesse.

– Regardez ça ! dit-elle en leur montrant une vieille chaussure de gymnastique en toile bleue. Vu la pointure, elle ne peut pas appartenir à Frida, vous avez vu ses pieds ?

– Une chaussure ? Et alors ? dit Julia.

– Elle a dû être apportée par la mer, commente George.

– Et elle s'est retrouvée à quatre mètres de l'eau !? réplique Bourdon, les joues en feu. Hier elle n'était pas là. Je suis passée au même endroit en allant me promener !

Alex examine le sable sous la chaussure puis soulève un bout de bois juste à côté.

– Oui, c'est vraiment bizarre ! dit-il pensif. Le sable est sec sous le bois. Il était donc là quand il a plu ce matin. Mais regardez ici ! dit-il en indiquant l'endroit où Bourdon a trouvé la chaussure. Le sable est humide ! La chaussure a donc été posée après la pluie, c'est-à-dire il y a moins d'une heure! Ça signifie qu'il y avait quelqu'un ici quand on prenait notre petit déjeuner!

– Mais alors, il devrait y avoir des traces de pas sur le sable, fait remarquer George.

Les quatre cousins regardent autour d'eux. Tout est calme, il n'y a aucun bruit. Qui a bien pu abandonner une chaussure, une seule, sur le sable? Et sans laisser d'empreintes?

– Ça ne peut être que Superman! Il a fait son petit tour matinal au-dessus de la plage et il a perdu une de ses pompes, rit George.

Il s'allonge de nouveau sur sa serviette en fermant les yeux. Ça fait longtemps qu'il ne s'est pas senti aussi bien, le ventre aussi plein. Ça remonte à quand déjà...? Il ne se souvient pas.

– Mais... c'est une chaussure d'enfant! dit Bourdon. Et, en plus, Superman porte des bottes rouges!

– Il était peut-être accompagné d'un de ses Super-enfants... murmure George en bâillant.

– Mais enfin, Superman n'a pas d'enfants... continue Bourdon.

Julia fusille George du regard. Elle, qui passe son temps à se chamailler avec sa petite sœur, ne supporte pas que quelqu'un d'autre se moque d'elle.

– Tout ça est très très bizarre! dit-elle. Il faut qu'on en parle avec Frida. J'ai remarqué qu'elle est préoccupée, elle aussi! Cette nuit, elle est restée devant sa maison, on aurait dit qu'elle faisait le guet.

– Tu as raison, approuve Alex. Quand on s'est vus ce matin, elle m'a demandé si j'avais entendu du bruit dans la nuit. Je n'ai pas bien compris. À la campagne, il y a toujours un tas de bruits. Puis elle m'a demandé si j'avais utilisé beaucoup de boîtes de conserve pour préparer le petit déjeuner. D'après elle, il en manquait plusieurs dans sa réserve.

George se redresse sur sa serviette et les regarde d'un air grave.

– OK chers cousins, résumons : nous avons affaire à un voleur qui est mineur, qui n'a qu'une chaussure et qui se nourrit de conserves. Qu'est-ce qu'on sait de plus? Il faudra établir le profil psychologique du malfaiteur, ils font toujours ça à la télé.

Julia lui lance la chaussure à la figure avant de ramasser *Mickey Parade*. Elle le secoue pour enlever le sable mais Bourdon le lui prend des mains et se met à le feuilleter.

– C'est le numéro combien ? Je l'ai lu, mais… c'est bizarre, il n'y a pas d'images !

– Rends-moi ça ! Prends la godasse et allons voir Frida ! siffle Julia en lui lançant un regard noir.

– Je voulais juste… commence Bourdon qui ne comprend pas la réaction de sa sœur.

La couverture du magazine se détache et tombe par terre. George a le temps d'apercevoir qu'il y a une tout autre couverture en dessous avant que Julia ne fourre le livre dans son sac et n'entraîne Bourdon vers la maison de Frida.

Julia a des secrets, elle aussi, constate George avec curiosité.

## Chapitre 8
### *Au feu!*

Julia est persuadée que Frida leur rira au nez en voyant la chaussure. Une chaussure d'enfant ! C'est sans doute quelqu'un qui est passé près des côtes en bateau et qui l'a lancée par-dessus bord.

Mais ce matin, aucun bateau n'est passé par là. Ils l'auraient vu de la tour.

Et Frida ne rit pas.

– Je n'avais pas l'intention de vous en parler, commence-t-elle, mais voilà, depuis quelque temps je suis un peu inquiète, oui c'est ça, je suis un peu inquiète... Parfois j'ai la sensation de ne pas être seule sur cette île. Je connais l'île aux Grèbes par cœur et, en ce moment, il y a un certain nombre de petits détails qui... D'abord j'ai cru qu'un voilier avait jeté l'ancre pour passer la nuit. Ça arrive parfois et je n'y vois aucun inconvénient. Mais il n'y a pas de bateau, nulle part, et pourtant, j'ai l'impression de sentir une présence la nuit. J'ai même cru entendre le grincement de la pompe à eau derrière la maison, je suis sortie voir, mais il n'y avait personne.

Bourdon la regarde avec des yeux ronds comme des billes.

– Quelqu'un se cache peut-être sur l'île ! propose-t-elle. Un braqueur de banque, par exemple !

– Un braqueur de banque aux tout petits pieds, se moque George. Et qui a maintenant froid à ses petits orteils !

Julia le foudroie du regard. George lui fait un signe de la main pour s'excuser.

Mais Frida, elle, prend très au sérieux les paroles de Bourdon.

– Sur cette île, il n'y a pas beaucoup d'endroits où se cacher. Éventuellement dans la forêt. Elle est grande et je n'y vais presque jamais, seulement quand j'ai besoin de bois. D'ailleurs, j'ai l'impression que mon stock de bûches diminue plus vite que d'habitude. Pareil pour ma réserve de conserves. Comme toi, Bourdon, j'ai pensé qu'il y avait un rôdeur, mais pas forcément un braqueur de banque.

Bourdon prend un air important.

– Ça pourrait être des enfants qui ont fait une fugue, propose-t-elle, et qui veulent vivre sur une île déserte comme Robinson Crusoé! Ils se sont peut-être fabriqué des vêtements en peau de loup...

– En peau de loup?! s'exclament en chœur Julia et George.

Bourdon devient rouge comme une tomate. Elle ne veut pas avouer que quelque chose, sans doute une bête sauvage, l'a effrayée la veille.

– Je n'en suis pas certaine, bien entendu, poursuit Frida. Je n'ai jamais eu de raison de compter mes bûches, ni mes boîtes de conserve. Après tout, je me fais peut-être des idées!

Mais Alex, qui a le sens pratique et qui est quelqu'un de déterminé, veut passer à l'action.

– Frida, est-ce qu'on peut emprunter ta barque ? On va faire le tour de l'île, on accostera par-ci par-là pour voir si on trouve quelque chose d'intéressant.

– Et quand on tombera sur une cachette d'armes et qu'un homme cagoulé nous sautera dessus, on hurlera de toutes nos forces ! ajoute George.

Julia ne peut pas s'empêcher de rire.

– Qu'est-ce que tu en dis, tante Frida ? demande-t-elle. On peut emprunter ton bateau ? Tu as suffisamment de gilets de sauvetage ?

– Des gilets de sauvetage ? répète Frida étonnée. Non, je n'ai pas de gilets de sauvetage, ah non, ça je n'ai pas !

– Tant pis, on restera près de la rive ! dit George. C'est une bonne idée, Alex. Au moins, ça nous fera faire un peu de sport. Et pour rien en plus. Dans les clubs de gym, les gens paient une fortune pour faire du rameur.

Ils descendent au ponton et détachent la barque. Tout le monde monte à bord sauf Chat-pardeur qui fonce comme une flèche vers la maison en crachant de colère. On ne peut pas dire que ce soit un chat marin.

Julia et George se saisissent chacun d'une rame et se mettent à l'œuvre. Le début se révèle difficile. Ils n'arrivent pas à synchroniser leurs mouvements, le bateau tourne sur lui-même ou avance en zigzag. Les invectives fusent.

– Un petit effort, espèce de paresseuse! hurle George. Il faut qu'on rame tous les deux si on veut avancer! Toi tu caresses la surface, enfonce ta rame dans l'eau!

– Arrête de faire ton Superman et applique-toi! réplique Julia. Pourquoi tu es si pressé? Tu t'entraînes pour les JO ou quoi?

Les deux cousins finissent cependant par s'entendre et la barque avance doucement le long de la rive. L'eau est lisse comme un miroir et si transparente qu'on voit le fond sablonneux avec, par endroits, des touffes d'algues presque noires. Bourdon, à genoux à l'avant du bateau, vérifie qu'il n'y a pas de gros cailloux cachés sous la surface. Alex, à l'arrière, siffle avec une feuille de roseau. Il n'y a personne à l'horizon. Au loin, face au large et perché sur un rocher, ils voient se dresser le phare, rongé par les intempéries. Frida leur a expliqué qu'il n'est plus utilisé et que l'épaisse porte en bois est verrouillée et fermée avec une grosse chaîne.

Ils arrivent de l'autre côté de l'île où pousse une forêt dense, composée essentiellement de sapins et de quelques bouleaux. Alex montre quelque chose du doigt.

– Vous avez vu? On dirait de la fumée, là-bas entre les arbres!

George et Julia cessent de ramer et tous les yeux se tournent vers la forêt.

Une épaisse fumée grise s'élève dans le ciel. Elle semble venir d'un point précis.

– Oh là là! s'écrie Julia. Il y a peut-être un feu de forêt! Il risque de se propager jusqu'à la maison de Frida. Il faut vite rentrer!

## Chapitre 9

### *Rencontre avec un goinfre*

Julia et George accostent dès qu'ils peuvent. Traverser l'île aux Grèbes à pied sera certainement plus rapide que de la contourner en bateau.

– On se sépare ! décide Julia. Bourdon et Alex, allez prévenir Frida pendant que George et moi, on s'approche du feu pour voir ce qui se passe !

Tout le monde acquiesce.

Ils attachent le bateau à un tronc et partent dans les deux directions. Julia et George s'enfoncent parmi les sapins mais s'arrêtent subitement. La forêt n'est pas très vaste mais sa densité les empêche de repérer le feu. D'ailleurs, ils ne voient plus que des arbres.

– Ça ne peut pas être un incendie, constate George. Il y aurait eu plus de fumée et le feu se serait déjà propagé.

– Tu es spécialiste en feux de forêts, George ? demande Julia.

– Pas du tout. Mais je suis plus intelligent que toi. Tu comprends bien qu'on s'en serait vite rendu compte si c'était réellement un incendie. On va faire un petit tour de ce côté-ci, et après on a intérêt à sortir de la forêt pour pouvoir repérer l'endroit d'où vient la fumée.

Ils continuent à progresser en suivant le plan de George puis s'arrêtent de nouveau.

– Écoute ! dit Julia.

– Je n'entends rien.

– Justement. Si c'étaient des gens qui faisaient griller des saucisses dans cette partie de la forêt, on entendrait forcément quelque chose ! Des voix par exemple !

– Pas sûr. En ce qui me concerne, je n'ai pas l'habitude de bavarder et de pousser des cris quand je grille des saucisses, fait remarquer George. Mais j'imagine que c'est ce que tu fais...

Julia lui tire la langue en guise de réponse.

Les deux cousins sortent de la forêt et parviennent à un pré d'où ils scrutent l'horizon à la recherche des volutes de fumée.

Mais il n'y a plus rien. Le feu a dû s'éteindre. Il n'y a plus qu'à récupérer la barque et à rentrer.

Bourdon les attend impatiemment. En les voyant arriver, elle se précipite vers eux tout excitée en sautant à cloche-pied.

– Vous savez quoi?! Vous savez quoi?! hurle-t-elle au loin.

– Oui on sait quoi mais on ne te le dira pas! répond George.

– Quoi? Non, je veux dire, vous savez comment on est rentrés, Alex et moi?

– À quatre pattes? propose Julia.

– À moto? En hélicoptère? essaie George.

– Espèces de débiles! siffle Bourdon. Au moment où on traversait le grand pré, on a entendu du bruit. Un grognement ou je sais pas quoi. Prrrrrrr ça a fait. Et, tout d'un coup, on a vu Chatpardeur foncer vers nous en miaulant!

– Ah oui?

– Quelque chose lui avait fait peur! Et vous savez ce que c'était?

– Un loup-garou?

– Non! Un cheval! Un adorable petit cheval tout poilu couleur sable. Il avait une longue frange et n'était pas du tout farouche. Et vous savez quoi?

– Arrête! J'en ai marre de tes questions! ronchonne Julia.

– Alex est super bon en équitation. Il a sauté sur le dos du cheval et lui a attrapé les cheveux. Puis il a fait quelques tours, on se serait cru au cinéma. Et après, il m'a aidée à monter dessus et on est rentrés à cheval! Mais pas trop vite parce que quand il a commencé à galoper, j'ai failli tomber! Alex a promis de m'apprendre à en faire!

– Crinière! dit George. Les cheveux des chevaux s'appellent une crinière!

– Et alors? proteste Bourdon. Je m'en fiche! Faut toujours que vous fassiez vos intéressants, vous deux! Alors qu'Alex, lui...

Les yeux brillants, elle pointe son doigt vers son cousin assis sur le dos d'un petit cheval jaune qui est en train de brouter paisiblement. De toute évidence, Alex est son idole !

– Il vient d'où, ce cheval ? demande Julia. Il n'est pas venu à la nage, quand même ?

– Il appartient à un copain de Frida. L'été, il se balade en liberté. Le cheval bien sûr, pas le copain. Il s'appelle Gervir, ce qui signifie « glouton » en islandais. C'est un cheval islandais !

– On a voulu faire au plus vite pour prévenir Frida qu'il y avait le feu, explique Alex qui les a rejoints. Ça ne l'a pas du tout étonnée de nous voir arriver à cheval. Elle a simplement hoché la tête en disant : « C'est bien que vous ayez retrouvé Gervir, je ne l'avais pas vu depuis plusieurs jours. » Elle nous a aussi expliqué qu'elle lui donnait à boire dans une baignoire installée dans son jardin, sinon il se débrouille seul.

– Et après, on a voulu lui montrer la fumée dans le ciel mais il n'y avait plus rien, dit Bourdon. Est-ce qu'on a rêvé ? C'était peut-être juste un nuage très long et très fin qui s'était mis debout dans le ciel ?

– Non, les nuages ne se mettent jamais à la verticale... répond George pensif. Et la fumée ne

venait pas d'un volcan, Bourdon, ni de la cheminée d'une petite maison de lutin. On n'a pas
rêvé. Frida soupçonne qu'il y a un étranger sur
l'île. Cette personne a dû faire un feu dans la forêt
qu'il a éteint aussitôt pour nous empêcher de le
retrouver !

– C'est peut-être un prisonnier qui s'est évadé !
Ou un contrebandier ! propose Bourdon. Ou un
espion !

Bourdon comprend que c'est Gervir qu'elle a
vu bouger dans le bosquet la veille au soir. Mais
les chevaux ne font pas de feux et ne volent pas
de boîtes de conserve !

Elle sent l'angoisse monter en elle. Les autres
ne sont pas très à l'aise non plus.

– Je n'aime pas ça ! dit George en se secouant
pour se débarrasser de ses mauvaises sensations.
Les chevaux ça peux aller mais les pyromanes et
les incendiaires criminels, ça c'est autre chose !

– Crr... criminels ? répète Bourdon d'une voix
tremblante.

– Oui, c'est comme ça qu'on appelle les gens
qui provoquent des incendies. Même s'ils ne

tuent personne directement, ce sont des criminels ! explique George.

– D... directement ? répète Bourdon encore
plus inquiète.

– Je veux dire, ça peut tout aussi bien être de
banals espions, ajoute rapidement George.

– Des espions ? répète Julia, cette fois. Pourquoi ? Qui est-ce qu'ils pourraient espionner ici ?
Les grèbes ?

– Pourquoi pas? Ça peut être un groupe d'ornithologues qui a planté une tente sur l'île et qui attend de découvrir une rareté comme un grèbe à
moustaches. J'ai un oncle ornithologue qui est
prêt à tout s'il apprend qu'un oiseau rare a été
aperçu dans les environs.

Frida vient se joindre aux enfants qui sont
installés dans des transats autour de la table du
jardin.

– Mais si ce sont des ornithologues, pourquoi
se cacheraient-ils dans la forêt ? demande-t-elle
sceptique. Ce n'est pas illégal d'observer les oiseaux ! Ce genre de personnes viendraient me
demander de l'eau directement au lieu d'utiliser
ma pompe en cachette la nuit !

Alex regarde sa tante et voit qu'elle se ronge les ongles, elle doit être sérieusement inquiète. Bourdon, scrute l'expression de son visage sans y trouver de quoi se rassurer. George et Julia ont l'air soucieux, eux aussi.

Elles prennent une drôle de tournure ces vacances ! se dit Alex. Mais pour l'instant, il ne s'est rien passé de dangereux, il ne faut pas tirer de conclusions hâtives. Il décide qu'il est temps de trouver une distraction pour tout le monde.

– Bon, il est l'heure de penser au déjeuner ! annonce-t-il sur un ton joyeux. Qui veut bien me donner un coup de main aujourd'hui ?

– Moi ! crie Bourdon en levant le doigt.

Elle considère son cousin français avec vénération. Il sait faire du cheval, il sait cuisiner, ensemble ils pourraient former un duo extra-ordinaire. Ils pourraient devenir des chefs célè-bres à la télé, ou monter un centre équestre... Elle suit Alex, la tête pleine de rêves.

Julia se plonge de nouveau dans son *Mickey Parade* qui a retrouvé sa couverture.

George l'observe d'un œil curieux. Elle est beau-coup trop absorbée par ce magazine, pense-t-il.

Est-ce possible qu'une fille aussi intelligente soit à ce point passionnée par une BD pour enfants ? Il se penche en avant et lui arrache des mains. Puis il se met à lire à voix haute pendant que Julia lui tire le bras pour l'en empêcher :

– *Je me suis réveillé dans la nuit et je me suis aperçu que Catherine ne dormait pas, elle non plus. La lumière de la lune projetait l'ombre du montant de la fenêtre sur le lit...* C'est le *Mickey Parade* le plus étrange que j'aie jamais vu ! se moque George. Qu'est-ce que tu fais, Julia ? Tu lis un livre porno en cachette ?

– Tu ne peux pas comprendre, dit Julia les larmes aux yeux. Je suppose que toi, tu lis seulement des *Mickey* ordinaires. Rends-le-moi !

– C'est vraiment un livre porno ? s'étonne George.

– Non, c'est un livre qui s'appelle *L'Adieu aux armes* ! Je l'ai trouvé dans la bibliothèque de Frida. D'ailleurs, ça ne te regarde pas !

– Mais explique-moi pourquoi tu as collé une autre couverture dessus !

La voix de George est gentille mais Julia se méfie.

– Si tu veux vraiment savoir : à l'école, on n'arrête pas de m'embêter à cause de mes lectures! Parfois j'emprunte des livres au rayon adultes à la bibliothèque. Si j'ai le malheur d'en lire un à la récré, j'ai toujours droit à des commentaires stupides, surtout de la part des garçons, comme quoi je serais une intello, une prétentieuse, et que je ferais mieux de me faire opérer des seins. Depuis que j'ai trouvé l'idée de mettre une autre couverture, ils me fichent la paix. *Mickey Parade*, c'est en gros la seule lecture qu'ils comprennent. Et qui leur semble normale.

– Mais les garçons de ta classe ne sont pas là! fait remarquer George. Pourquoi tu t'es sentie obligée de mettre une fausse couverture ici?

– Je ne pouvais pas savoir comment vous seriez, Alex et toi!

Ils restent silencieux.

– Tu sais, tu n'es pas la seule à vouloir préserver ta vie privée, dit George au bout d'un moment. Moi, en ce moment, je fais quelque chose que je n'ai encore jamais montré à personne. Si tu veux, tu pourras voir. Mais seulement si tu veux.

Julia hoche la tête.

Que veut-il dire par là ? La proposition de George pique la curiosité de Julia. Ça paraît étrange comme occupation, bien plus étrange que de lire des livres pour adultes, se dit-elle. Est-ce qu'il s'agit d'un truc de môme comme construire des maquettes d'avion, par exemple ? À moins qu'il se déguise en sainte Lucie quand il est seul, comme le pensait Bourdon ? L'idée la fait rire intérieurement.

Bourdon sort en brandissant le maillet de croquet. Elle se met à cogner sur la plaque en tôle qu'Alex a accrochée à l'arbre.

– À table ! Venez vite tout le monde ! Sauf les contrebandiers, les pyromanes et les espions ! Vous, vous restez dans la forêt !

Cette nuit-là, Julia est réveillée par Bourdon qui parle en dormant. On dirait qu'elle appelle quelqu'un, puis elle claque la langue comme si elle voulait faire avancer un cheval. Le vent a refermé la porte du balcon et il fait beaucoup trop chaud dans la pièce. Tout en bâillant, Julia se lève et va l'ouvrir. Chatpardeur, qui était blotti contre ses jambes, tombe du lit et se plaint bruyamment.

Julia bloque la porte et jette un œil sur le paysage. Soudain elle se fige, puis elle retourne vers le lit sur la pointe des pieds et réveille Bourdon. Ensuite elle appelle les garçons :

– George ! Alex ! Réveillez-vous ! Venez voir ! Vite !

Ils sortent tous sur le balcon et guettent les environs plongés dans l'obscurité.

Il y a de nouveau un feu. Une faible lueur qui se dessine dans le ciel nocturne. Ça vient du milieu de la forêt.

## Chapitre 10
## *La découverte*

Les cousins restent longtemps sur le petit balcon à essayer de localiser le feu. L'ambiance est fébrile et ils se coupent sans cesse la parole.

– Faut qu'on appelle les pompiers ! hurle Bourdon.

– Non, ce n'est pas un feu de forêt, réplique George. Quelqu'un a bien allumé un feu mais il ne se propage pas.

– Qui a bien pu faire ça ? demande Julia en s'efforçant de maîtriser sa voix tremblotante. C'est peut-être seulement des plaisanciers qui sont descendus sur l'île pour se faire griller des saucisses ?

– Allons-y ! dit Alex d'un ton décidé. Allons voir tout de suite. Tant qu'il fait suffisamment sombre pour que le feu soit encore visible, on n'aura pas de mal à le retrouver !

– Et si ce n'était pas des gentils plaisanciers mais… quelque chose de terrifiant ? Qu'est-ce qu'on pourrait faire en pleine nuit ? On devrait plutôt commencer par réveiller Frida, non ? suggère George.

– Quelque chose de terrifiant ?! s'écrie Bourdon.

– Oh regardez, le feu s'est éteint ! C'est fichu, on ne le retrouvera pas, dit Julia.

Elle se saisit rapidement du maillet de croquet de Bourdon et le pose sur la balustrade du balcon en le pointant vers l'endroit où ils ont vu le feu, elle le fixe ensuite à l'aide d'une ficelle.

– Voilà ! Comme ça on saura dans quelle direction partir demain. George a raison, on ne va pas s'aventurer dans la forêt en pleine nuit.

– Quelque chose de terrifiant ? répète Bourdon en attrapant la main de Julia.

Elle a oublié qu'elle se vantait de n'avoir peur de rien à part des contrôles de maths et des gastros. Il existerait donc des choses encore pires...

Après toute cette excitation nocturne, les cousins finissent par s'endormir et se réveillent tard le matin suivant. Sauf Alex qui, comme d'habitude, est matinal. Les autres se dépêchent de s'habiller et se rendent chez Frida.

– Frida ? Coucou, tante Frida, tu es là ? appellent-ils en passant le seuil.

Pas de réponse.

Ils font le tour de la maison, George ouvre la porte de la cave et appelle de nouveau.

Toujours aucune réponse.

– Et si quelqu'un l'a kidnappée ?! sanglote Bourdon. On est peut-être tout seuls sur l'île avec les terrifiants ! Moi, je ne veux pas me faire kidnapper !

– Et Alex ? Il est où ? demande Julia.

– Il a été kidnappé lui aussi, c'est sûr ! sanglote Bourdon de plus belle. Et si les terrifiants nous demandent une rançon ? Combien on a d'argent ?

Ils entendent tousser derrière eux. Alex est là, un grand sourire aux lèvres.

– Je n'étais pas cher! dit-il. Ils m'ont juste demandé une rançon de cinq couronnes. J'ai pu me libérer tout seul.

– Tu étais où? demande George en lui donnant une grande tape dans le dos.

– Qu'est-ce que tu crois? Dans la cuisine, bien sûr. Je vous ai fait des croissants pour le petit déjeuner. J'en avais tellement envie!

– C'est quoi des croissants? demande Bourdon.

– Des petites viennoiseries françaises en forme de croissant de lune, explique Alex.

– Mais où est Frida? demande Julia.

– Elle a pris la barque pour aller sur le continent, à Östhamn, répond Alex. Elle n'a pas voulu nous réveiller mais elle a laissé un mot sur la table de la cuisine expliquant qu'elle devait livrer des sculptures à des galeries à Stockholm. Elle sera de retour pour le déjeuner.

– Elle n'est donc pas au courant pour le feu? Ce ne serait pas mieux de l'appeler pour lui en parler? demande George.

– Ce n'est pas la peine de l'inquiéter, dit Julia. Moi je trouve qu'on devrait d'abord faire un tour dans la forêt, dans la direction du maillet de croquet. On est quatre, quand même !

– Et si jamais c'est un braqueur de banque ou un espion... lance Bourdon.

– N'oublie pas que c'est quelqu'un qui veut à tout prix nous éviter ! dit Julia. Ça fait déjà plusieurs jours qu'il se cache. Il a sûrement ses raisons.

– Moi je ne suis pas du genre héroïque, déclare George, je n'ai pas l'intention de prendre plus de risques que nécessaire, mais je suis d'accord avec Julia. On est quatre. On devrait d'abord faire un tour pour jeter un œil. Pour voir s'il y a des traces du feu, par exemple.

– On n'a qu'à prendre Chatpardeur avec nous, comme ça on n'aura pas à s'inquiéter ! ajoute Bourdon. C'est un vrai chat de combat !

– Un chat de combat ? reprend George.

– Oui ! Tu as entendu parler de chiens de combat, non ? Eh bien, Chatpardeur, lui, c'est un chat de combat ! Et il se peut que Gervir soit un cheval de combat. On pourrait l'emmener aussi ! Si on lui donne des pommes, il nous suivra, c'est sûr.

Bourdon veut absolument qu'ils emportent les maillets de croquet mais les autres ne sont pas d'accord. Ils ne vont quand même pas se jeter sur l'ennemi avec des maillets de croquet ! D'autant plus qu'il risque d'être armé. Mais Bourdon ne veut rien entendre et décide d'emporter le sien.

– Vous ne comprenez pas mon super plan ? insiste Bourdon. Vous trois, vous partez en premier et moi je vous suis avec le maillet. Si jamais vous vous retrouvez nez à nez avec un méchant bandit et qu'il vous menace, je me jetterai sur lui et je lui donnerai un grand coup de maillet sur la tête !

– Ah oui ? Et si on se retrouve nez à nez avec des gentils ornithologues ? dit Julia.

– On leur proposera de venir faire une partie de croquet chez tante Frida.

Ils se dirigent vers la forêt, de l'autre côté de l'île. Gervir trotte derrière eux, encouragé par Bourdon qui lui donne des pommes tout en continuant à dresser des plans extraordinaires. Chatpardeur, lui, n'est pas avec eux, mais ils l'entendent miauler à proximité.

Le soleil inonde le grand pré de ses rayons qui ne parviennent pas à pénétrer dans la forêt où il fait sombre et frais. Il règne un silence absolu. Les cousins s'arrêtent et tendent l'oreille vers l'obscurité. Le seul bruit qu'ils perçoivent est la mastication de Gervir.

– Dispersons-nous ! dit George. Si on marche à une distance de dix mètres les uns des autres et qu'on s'appelle régulièrement, on pourra examiner une plus grande surface. C'est comme ça qu'on s'organise pour faire une battue. Cet hiver, j'en ai fait une quand un copain de ma classe s'était perdu.

– En tout cas, moi, je ne me disperse pas ! déclare Bourdon. Ça va pas la tête ?! On ne va quand même pas se séparer pile au moment où on entre dans une forêt bourrée de bandits. Vous ne vous rendez vraiment pas compte ! Ils n'auraient plus qu'à nous attraper les uns après les autres.

– Tu peux venir avec moi, si tu veux, Bourdon, propose Julia.

Ils avancent lentement parmi les arbres en scrutant le sol et en s'appelant régulièrement. Si quelqu'un a fait un feu, il reste forcément des traces. Sous l'emprise de son imagination débordante, Bourdon donne de grands coups de maillet à chaque buisson qui lui paraît suspect.

Au bout d'une bonne demi-heure de marche, la forêt devient de plus en plus impénétrable. Les arbres poussent sur une pente abrupte et pierreuse pleine de ronces et les quatre cousins peinent à avancer. Les jambes nues de Julia sont tout égratignées.

– J'en ai marre, j'arrête ! dit-elle en s'asseyant sur un rocher.

Au même moment, son regard est attiré par quelque chose.

À quelques mètres d'elle, elle voit des pierres posées en cercle avec, au centre, des cendres et du bois carbonisé.

– George ! Alex ! crie-t-elle.

Les deux cousins accourent et Julia leur montre le foyer qu'elle vient de découvrir.

– Il a servi il n'y a pas très longtemps ! constate George en passant sa main sur les cendres qui sont toutes légères. Ça prouve qu'il n'y a pas eu de vent ni de pluie depuis que le feu s'est éteint, explique-t-il. C'est sans doute la fumée qu'on a vue cette nuit.

Les cousins se regardent. Bourdon serre fort la main de Julia.

Jusqu'à maintenant, ça n'était qu'un jeu excitant et amusant, mais il vient de prendre une autre tournure. À présent, ils comprennent que c'est du sérieux. Il y a bien quelqu'un qui se cache dans la forêt. Et cette personne ne veut pas qu'on la voie.

# Chapitre 11
## *La lettre*

– Il faut marquer l'endroit pour pouvoir le retrouver plus tard, chuchote Julia.

– Pourquoi tu chuchotes ? demande Bourdon d'une voix chevrotante.

– Parce qu'il y a peut-être des gens à proximité. Maintenant on rentre !

Les quatre cousins regardent le soleil, sa position dans le ciel leur donne une idée de la direction à prendre. Ils marchent le long d'un sentier presque invisible et enfoncent régulièrement des bouts de branches dans le sol pour marquer le chemin.

Un cri strident retentit soudain. George, qui mène la marche, s'arrête net, les autres lui foncent dedans et tombent comme un jeu de dominos.

Stupéfaits, ils voient Chatpardeur sortir d'un buisson avec, dans la gueule, trois mulots qu'il dépose fièrement aux pieds de Julia. Comme pour dire : « C'est pour toi, chère maîtresse ! Je me suis occupé du dîner ! »

– Chatpardeur, il faut que tu arrêtes de miauler comme ça ! Tu nous as fichu une de ces trouilles, le gronde Julia.

– Et estime-toi heureux que je ne t'aie pas assommé avec le maillet, ajoute Bourdon qui a retrouvé sa gouaille habituelle. À l'heure qu'il est, tu aurais pu être transformé en mousse de chat.

– Miaouuu ! leur répond Chatpardeur sur un ton boudeur, ce qui signifie : « Je vous ai apporté à manger et vous n'avez même pas la délicatesse de me remercier ?! »

L'après-midi est déjà bien entamé lorsqu'ils arrivent à la maison. Frida n'est toujours pas rentrée alors qu'elle avait promis d'être de retour pour le déjeuner.

La journée passe mais toujours aucun signe de leur tante. Les cousins ont eu le temps d'être sérieusement inquiets lorsqu'ils l'aperçoivent enfin au loin. La casquette bien enfoncée sur la tête, elle rame avec de grands mouvements vigoureux. Elle est en colère, ça saute aux yeux. Elle amarre la barque, toujours l'air furieux et les épaules remontées jusqu'aux oreilles puis va vers la maison en tapant des pieds.

– Vous savez ce qu'ils ont fait, ces imbéciles de la galerie d'Östhamn ? fulmine-t-elle. Ils ont posé ma grande sculpture *L'Origine de l'univers* à l'envers dans leur vitrine ! Ce n'est pas la première fois que ça arrive ! Et ils se vantent d'être des connaisseurs !

– Moi non plus je ne comprends pas dans quel sens il faut regarder les sculptures de tante Frida, confie Bourdon à Alex à voix basse.

– Et ce n'est pas tout ! poursuit Frida. Il semblerait qu'il y ait des faussaires qui opèrent actuellement. Quelqu'un a plagié mes sculptures et les a vendues à des galeries à Stockholm ! J'aurais vraiment besoin de faire un tour là-bas pour voir ça de plus près mais je ne peux pas me permettre de vous laisser seuls parmi tous ces voleurs de bûches et de boîtes de conserve.

Les cousins s'interrogent du regard : qui va se charger d'informer leur tante du feu qu'ils ont vu cette nuit et du foyer qu'ils viennent de découvrir dans la forêt ? Maintenant il n'est plus seulement question de vols de bûches et de boîtes de conserve !

– Vas-y, toi ! dit Alex à Julia.

Julia a tout juste le temps d'ouvrir la bouche quand elle est interrompue par le portable de Frida.

– Allô ! Oui ? Quoi ? COMMENT ? Trois nouvelles contrefaçons ? Non mais c'est pas vrai... hurle tante Frida tout en agitant sa main libre.

– C'est très embêtant ! chuchote George à ses cousins. On dirait bien que Frida va être obligée d'aller à Stockholm mais si on lui parle du feu, elle ne nous laissera pas seuls ici.

– Il faut vraiment le lui dire ? demande Julia. Moi je vote pour qu'on se taise. On peut très bien se débrouiller sans elle pendant quelques jours, à condition de rester ensemble et de ne pas s'approcher des gens qui rôdent dans la forêt. Qu'est-ce que vous en dites ?

Alex et George hésitent un instant puis acquiescent d'un mouvement de tête. En revanche, Bourdon les regarde la bouche ouverte et les yeux écarquillés.

– Vous voulez être brûlés vifs dans vos lits !? dit-elle d'une voix rauque.

– Ne t'inquiète pas, on se relayera pour faire le guet, dit George.

– Et toi, Bourdon, tu peux partir avec Frida si tu veux, propose Julia. C'est OK pour nous. On comprendra. Elle a bien les moyens de payer un billet supplémentaire, par contre elle ne peut pas nous emmener tous. En plus, il y a Chatpardeur. Et il faut quelqu'un ici pour surveiller l'île.

– Quoi ? crie Bourdon. Jamais de la vie ! Si vous vous faites brûler vifs je veux au moins être là pour voir ça !

– Arrête avec cette histoire de brûler vif, Bourdon ! s'énerve Julia. Maintenant on sait qu'il y a quelqu'un dans la forêt. Quelqu'un qui ne veut pas qu'on le voie. Mais on a nos portables et le numéro d'urgence de la police. Si la personne vole un peu plus de bois et de boîtes de conserve, on arrivera toujours à survivre. Du moins pendant quelques jours.

Alex et George sont d'accord avec elle.

– Je te protégerai, Bourdon, promet gentiment Alex.

Bourdon fait la moue et réfléchit un instant.

– D'accord, à condition que je puisse te protéger, moi aussi ! dit-elle finalement.

Frida revient vers le petit groupe, ses cheveux roux encore plus ébouriffés que d'habitude. En parlant au téléphone, elle n'a pas arrêté de les tripoter.

– Les enfants, vous pourriez envisager de passer quelques jours à l'auberge de jeunesse d'Östhamn ? Je suis vraiment obligée d'aller à Stockholm.

– Tante Frida, on a déjà décidé de rester ici pour garder l'île aux Grèbes pendant ton absence, annonce George d'une voix qu'il s'efforce de rendre aussi adulte que possible. On est quatre et on saura très bien se débrouiller sans toi.

– Mais si jamais quelqu'un... commence Frida.

– ... On te promet de t'appeler et de prendre immédiatement un bateau taxi pour Östhamn! l'interrompt Julia. Promis! S'il se passe quelque chose d'inhabituel, on t'appelle! Même en pleine nuit. Ne t'inquiète pas, tante Frida. Le pire qui puisse nous arriver serait qu'on n'ait plus de bûches ni de boîtes de conserve. Mais on est quatre et on a nos portables! Vas-y, on te fera un rapport tous les jours, si tu veux!

– Et si tu t'inquiètes pour ta maison, on se relayera pour la surveiller la nuit! ajoute Alex.

– Nous, on trouve ça hyper excitant! dit Bourdon en essayant de paraître courageuse. Et on peut inventer des signaux secrets entre nous... avec un sifflet... ou faire le cri du hibou... et emporter les maillets de croquet chaque fois qu'on sort, au cas où quelqu'un nous attaquerait...

– Si je te croisais la nuit avec un sifflet et un maillet de croquet, je serais mort de peur, Bourdon! assure Alex.

Les quatre cousins mettent un bon moment à convaincre leur tante de les laisser seuls. Frida finit par pousser un gros soupir avant de céder à leurs arguments. C'est vrai que ce sont des enfants responsables et qu'elle doit résoudre son problème, sinon elle n'aura bientôt plus de travail et ne pourra plus subvenir à ses besoins.

Les quatre cousins hochent la tête pour la conforter dans sa décision.

Julia a cependant la gorge serrée, bien que l'idée vienne d'elle. Frida ne sait rien du feu. Ils auraient peut-être dû lui en parler.

Le jour suivant, ils accompagnent Frida au ponton où un bateau taxi l'attend. Elle préfère leur laisser la barque. Jusqu'au dernier moment, elle leur donne des consignes.

– Verrouillez bien la porte le soir ! Ne vous couchez pas trop tard ! N'oubliez pas de donner de l'eau à Gervir ! Et n'oubliez pas de manger ! Et...

Au fur et à mesure que le bateau taxi s'éloigne de la berge, le son de sa voix s'estompe pour bientôt être totalement inaudible.

– Où est passé son « C'est vos vacances, chacun fait ce qu'il veut » ? demande George. Ce n'est peut-être pas très bon pour Frida d'être entourée d'enfants. Elle commence à croire que c'est elle qui doit tout diriger ! Est-ce qu'on devient obligatoirement comme ça au bout d'un moment ?

– Oh regardez… s'écrie soudain Bourdon.

Elle s'est agenouillée par terre et soulève délicatement quelque chose en partie enfoncé dans le sable, presque à l'endroit où elle a trouvé la chaussure. C'est un bout de papier qui n'était pas là la veille.

Les autres s'assemblent autour d'elle. La feuille passe de l'un à l'autre.

– Je suis la seule à trouver des choses ! constate fièrement Bourdon. Dites donc, les cousins, il va falloir faire un petit effort, vous aussi !

– C'est parce que tu es plus près du sol, grommelle Julia. Qu'est-ce que c'est ?

C'est un bout de papier avec un texte écrit à l'encre noire, un peu effacé. La moitié du texte manque.

– On dirait une lettre ! dit George. Mais… je ne comprends pas un mot. C'est dans une langue étrangère !

– C'est bien ce que je vous disais ! Des espions étrangers ! dit Bourdon. Ou des terroristes ! C'est en langue terroriste, non ?

– Vous ne voyez pas que c'est du français ? commente Alex.

– Du français? Qu'est-ce qui est écrit? Dis-nous! s'impatiente George.

Alex essaie de lire le texte en fronçant les sourcils.

– C'est assez difficile à déchiffrer vu qu'il en reste seulement une partie, commence-t-il. La feuille a dû être déchirée. Et la pluie et l'humidité ont effacé le texte par endroits. Mais ce qui est clair c'est... dit-il l'air grave.

– Continue! Qu'est-ce qui est clair? demande Julia.

– C'est clair que ce n'est pas une lettre d'amour ni une lettre d'anniversaire! D'abord il est écrit que quelqu'un doit se cacher et il semblerait que cette personne soit persécutée. C'est marqué « Je n'en peux plus ». Et puis il est question d'argent et d'un parent éloigné qui va apporter son aide. Et qu'il faut faire très attention.

– Qui doit faire attention?

– Le destinataire de la lettre, je suppose.

Ils gardent tous le silence pendant un long moment.

– En tout cas, ça n'a pas l'air d'être l'œuvre d'un ornithologue, ironise George. Et maintenant, qu'est-ce qu'on fait?

– Je propose qu'on ne retourne plus dans la forêt tant que Frida n'est pas là. On va rester à proximité de la maison et on va garder les yeux bien ouverts ! déclare Julia.

– Je ne sais pas pourquoi, mais je n'ai pas vraiment peur du destinataire de cette lettre, poursuit Alex. On dirait plutôt que c'est quelqu'un qui se cache parce qu'il a des ennuis.

– Oui, mais ses persécuteurs sont peut-être dangereux… riposte Julia. Et ils ne vont peut-être pas tarder à arriver !

## Chapitre 12
# *Cambriolage !*

La première nuit sans tante Frida, les cousins ne dorment que d'un œil.

– J'ai mis mon portable sous l'oreiller pour pouvoir composer le 112 au plus vite, dit Julia depuis son lit.

– Le premier poste de police se trouve à soixante-dix kilomètres d'ici, fait remarquer George de l'étage du dessus. Si jamais on voit des bandits se pointer, je te conseille de leur proposer un café et de leur demander de patienter pour que la police ait le temps d'arriver !

Même Chatpardeur n'arrive pas à trouver le sommeil. Il passe la nuit à monter, descendre l'escalier en colimaçon et à errer entre les étages. Peut-être sent-il l'inquiétude générale ?

C'est un groupe d'enfants pâles et fatigués qui se rend à la maison de tante Frida le lendemain matin pour prendre le petit déjeuner.

– Chatpardeur n'a pas arrêté de sauter dans mon lit, se plaint George. Il pèse une tonne. J'avais l'impression de recevoir un gros sac de pommes de terre sur le ventre !

– Comment tu sais ? Tu reçois souvent des sacs de pommes de terre sur le ventre ? rétorque Julia.

– Chatpardeur est venu me voir aussi, dit Bourdon. Il n'arrive pas à sauter si haut mais il a appris à se servir de l'échelle. Moi je trouve ça super agréable quand il se blottit contre moi en ronronnant !

– Agréable !? bougonne Alex qui, pour une fois, a un réveil difficile. Chatpardeur est venu dans mon lit aussi et il s'est couché sur mon visage. J'aurais pu mourir étouffé. Si un matin vous me retrouvez mort dans mon lit, vous saurez à qui vous en prendre !

Bien qu'il soit fatigué, Alex fait quand même des croissants. Les enfants s'attablent et se régalent de ses croissants chauds au miel et au fromage. De quoi se plaindraient-ils ?

– Alex, tu ne veux pas venir habiter chez moi ? Tu serais mon frère et tu me préparerais mon petit déjeuner tous les matins, lui dit George. Mais évite de me faire des bisous !

– La dernière fois qu'on est venus chez Frida, la nourriture était infecte ! se rappelle Julia en pouffant de rire. Tous les matins, elle regardait ce qui lui restait dans ses placards — ça pouvait être une boîte d'anchois ou une pomme, par exemple — et elle s'en servait pour inventer des plats. C'était horrible !

– Tu te souviens quand elle a étalé du dentifrice dans son sandwich ? dit Bourdon. Elle a cru que c'était de la mayonnaise !

Une ombre tombe subitement sur la table. Les enfants se tournent vers la fenêtre et découvrent une grosse tête poilue.

– Un monstre! hurle Bourdon en se cachant le visage dans ses mains.

George ne quitte pas la tête des yeux. Comme elle est à contre-jour, il n'en voit que les contours. Il croit distinguer deux grandes oreilles...

Alex est le seul à garder son calme. Il attrape une pomme et sort sur le perron.

– Viens, Gervir! dit-il en tendant la pomme.

La grosse tête poilue apparaît dans l'entre-bâillement. C'est bien sûr Gervir qui a collé sa tête contre la vitre. Il attrape la pomme avec ses grosses dents et commence à mastiquer, visible-ment satisfait.

– Ha ha, j'ai tout de suite vu que c'était lui! dit Bourdon avec un rire forcé. Gentil cheval! Gentil Gervir! Alex, tu n'oublies pas que tu as promis de m'apprendre à monter à cheval!

– Bien sûr, mais il faut d'abord que je prépare le déjeuner, dit Alex en caressant le garrot de Gervir.

Puis il ouvre la porte de la cave et disparaît dans l'escalier.

Quelques secondes plus tard, les trois cou-sins entendent Alex qui les appelle. Il semble

nerveux. Ils dévalent les marches et le découvrent figé au milieu de la cave, le doigt pointé
vers une étagère.

– Disparu ! Presque tout a disparu ! Il y en avait
une caisse pleine hier et il ne reste plus que la
moitié !

– Qu'est-ce qui a disparu, Alex ? demande
Bourdon en lui prenant la main pour le calmer.

– Les boîtes de conserve ! Et tous mes saucissons français ! Et mon brie !

– C'est quoi un brie ? demande Bourdon à
Julia. On dirait une arme ! Une matraque, peut-
être ?

– Je crois que c'est un fromage, s'énerve Julia.
Alex, tu veux dire que quelqu'un a forcé la porte
et qu'il a tout volé ?

Alex les regarde, les yeux écarquillés.

– Il n'a même pas eu besoin de la forcer, dit-
il. Frida ne ferme jamais à clé ! Il n'a eu qu'à se
servir. Le pire c'est l'idée que quelqu'un est entré
pendant qu'on dormait ! Qu'est-ce qu'on fait
maintenant ?

– Pourquoi êtes-vous si étonnés ? dit George
l'air pensif. On sait avec certitude qu'il y a

quelqu'un dans la forêt. Quelqu'un qui se cache, qui fait du feu, qui perd des lettres et des chaussures. Et puisqu'il n'y a aucun magasin d'alimentation sur l'île, cette personne va se servir dans le seul endroit où elle peut trouver à manger.

– Mais sans rien abîmer et sans essayer de nous blesser. Et elle n'a même pas pris toutes les boîtes ! ajoute Julia en serrant son portable dans sa main.

Bizarrement, ce nouveau vol la rassure presque.

– Tu ne trouves pas qu'on devrait appeler Frida ? demande George.

– Non, elle revient après-demain. Par contre, il y a une chose qu'il faut absolument qu'on fasse, répond Julia.

– Je sais ! Des pièges ! dit Bourdon. On va creuser un trou très profond avec des pieux bien pointus au fond et on recouvrira tout ça de branches pour que le trou ne se voie pas... Ou alors on peut dissimuler des cordes avec des nœuds coulants par terre, comme Robin des Bois dans la forêt de Sherwood, comme ça les bandits se prendront les pieds dedans et s'envoleront jusqu'aux cimes des arbres...

– Arrête, Bourdon! dit George. On ne va pas assassiner des gens pour quelques boîtes de conserve! D'ailleurs, j'aimerais bien te voir creuser un si grand trou. J'aimerais aussi voir la tête de Frida si elle voyait ça... Je suppose que ce n'est pas ce que tu voulais dire, Julia?

– Non, je voulais dire qu'il faudrait se relayer la nuit pour monter la garde, dit Julia. On s'installe à tour de rôle sur le balcon de notre chambre... disons deux heures chacun. Si on voit quelqu'un traîner autour de la maison, il faut réveiller les autres! Bourdon, tu te sens capable de rester éveillée pendant deux heures?

Bourdon est vexée.

– Quelle question! C'est d'ailleurs moi qui vais commencer. Mais d'abord, Alex, il faut que tu m'apprennes à monter à cheval!

Sans enthousiasme, Alex accompagne sa cousine dehors et appelle Gervir en lui montrant une pomme. Il aide Bourdon à monter sur le dos du petit cheval, elle attrape la crinière jaune en poussant des cris de joie. Julia et George se regardent, haussent les épaules et retournent dans la cuisine terminer la vaisselle.

– George ? C'est quoi le secret que tu voulais me montrer hier ? demande timidement Julia quand ils essuient les assiettes.

– Viens dans la tour, tu vas voir, dit George.

Ils grimpent à l'étage des garçons, George ouvre son gros baluchon et en sort une boîte en bois de la taille d'un porte-documents, un grand paquet carré et quelques bouts de bois. Julia regarde tout ça avec curiosité.

George prend les bouts de bois et les assemble rapidement, il ouvre ensuite le paquet et la boîte. C'est un chevalet, une boîte de tubes de peinture, des pinceaux et quelques châssis tendus de toile.

– Wouah ! s'exclame-t-elle impressionnée. Tu peins ? Pourquoi tu voulais garder ça secret ?

– En fait, je ne peins pas encore ! J'avais l'intention de m'y mettre maintenant. Ou, du moins, d'essayer. Ça a l'air tellement bien. Mais je ne veux pas que Frida le sache avant que j'aie appris un peu. Tu comprends ? Tant que je n'ai pas essayé, je ne sais pas si j'en suis capable.

– Pourquoi tu n'as pas voulu te lancer quand tu étais encore chez toi ?

George lui jette un regard gêné.

– Si ma mère me voyait avec un pinceau à la main, elle appellerait immédiatement tous ses amis artistes et se vanterait d'avoir un génie à la maison! Elle mettrait tout notre argent dans des cadres et du matériel très cher et elle alerterait toutes les écoles d'art. Il y en a qui se plaignent de ne pas être soutenus par leur famille. Avec ma mère, c'est le contraire. Elle me soutient tellement qu'elle me rend fou! Un jour j'ai acheté un harmonica. Un peu plus tard, elle est rentrée avec un sac entier de partitions en m'annonçant qu'elle avait décidé de louer un studio d'enregistrement! Elle m'épuise! Cette fois-ci, j'ai fait des économies pour m'acheter du matériel et j'ai fait croire à ma mère que c'était pour une mobylette.

– Je comprends, dit Julia.

– Ça me rappelle un petit poème que j'ai lu quelque part, dit George :

*Je collectionnais les timbres*
*Papa m'en a offert un demi-kilo.*
*Aujourd'hui je ne les collectionne plus.*

– Oh, tu lis des poèmes?

– Non. C'est sans doute le seul que j'aie lu de ma vie, dit George en rougissant. Mais il me fait tellement penser à ma mère.

– Promets-moi de me montrer quand tu auras fait ton essai, dit Julia. Si tu en as envie bien sûr. Maintenant allons retrouver les autres !

La journée est belle et ensoleillée. Les quatre cousins se baignent, font des parties de croquet, montent à cheval et jouent ensemble. Ils oublient presque le visiteur inconnu de l'autre côté de l'île. Savourant pleinement leur liberté, ils sautent le déjeuner et décident de pique-niquer sur la plage en fin de journée.

Chatpardeur fait de drôles de bonds dans l'herbe haute, Gervir fourre sa tête dans le panier de pique-nique et avale presque un pain entier avant qu'ils ne s'en aperçoivent. Alex étale une nappe sur le sable et y pose des sandwichs au saucisson, des boissons et des fruits.

– Quel plaisir de bronzer au soleil sans que personne ne vous rabâche qu'il faut mettre de la crème solaire, dit Julia l'air rêveuse, de se baigner sans qu'on vous dise qu'on va attraper froid et d'avoir un cuisinier français qui vous mijote des plats délicieux! La vie devrait toujours être comme ça!

– Ne compte pas trop sur moi, rit Alex. Quand je serai un chef étoilé célèbre avec ma propre émission de télé, je t'engagerai peut-être parfois pour me donner un coup de main. Tu porteras un tablier en dentelle et tu feras la révérence!

– Si tu me forces à faire la révérence, j'appellerai la presse people pour dire que le célèbre chef cuisinier Alex Caleçon maltraite son personnel! dit Julia.

– Moi, je sais la faire, la révérence! s'immisce Bourdon. Et je veux bien porter un tablier en dentelle!

Le soir, avant d'aller au lit, les cousins jouent aux cartes. Le coucher de soleil est magnifique. Les derniers rayons donnent des reflets rougeâtres au ciel avant de laisser la place à l'obscurité et aux stridulations des grillons.

Comme promis, Bourdon s'installe sur le balcon pour assurer la première garde. Enroulée dans une couverture, confortablement assise dans un transat, elle scrute l'obscurité. Dix minutes plus tard, elle dort profondément.

Elle ne voit pas la tête qui apparaît à l'angle de la maison, sans doute pour s'assurer que le jardin est vide.

## Chapitre 13

## *La chasse à la silhouette mystérieuse*

Au beau milieu de la nuit, Alex se redresse dans son lit. Quelque chose l'a réveillé. Un bruit ? Il tend l'oreille. Oui, c'est bien ça. Il l'entend de nouveau.

C'est le grincement de la pompe à eau de Frida. Ses cousins ne sont pas sortis chercher de l'eau en pleine nuit, c'est évident. Alex sent une sueur froide lui couler dans le dos.

Il enfile rapidement son short et son pull et descend à l'étage des filles. Ça doit toujours être Bourdon qui monte la garde.

Arrivé sur le balcon, il découvre sa petite cousine endormie sur la chaise, la tête ballante et la bouche entrouverte.

– Quelle super garde tu fais! dit-il en lui secouant l'épaule. Tu n'as pas entendu qu'il y a quelqu'un en bas?

– Hmmm? C'est déjà l'heure du petit déjeuner? murmure Bourdon dans un demi-sommeil. Alex fait un mouvement agacé de la tête et remonte rapidement prévenir George. Julia se réveille aussi et se joint à eux.

Les trois cousins ouvrent doucement la porte de la tour et regardent dehors. Le grincement s'est arrêté. À la faible clarté de la lune, ils devinent une silhouette noire à côté de la pompe.

– Qui est là? crie George d'une voix grave.

Julia tremble de tout son corps. C'est facile d'être courageuse en plein jour, se dit-elle. C'est facile de clamer haut et fort que ce n'est pas la fin du monde de se faire voler quelques boîtes de conserve! En revanche, se retrouver en pleine nuit face à une ombre noire, c'est une autre histoire! Tout devient réel. Il y a vraiment quelqu'un qui s'est introduit dans leur jardin pour...

Elle s'agrippe au bras de George qui, lui aussi, est tout tremblant.

Le mystérieux inconnu tourne soudain les talons et se sauve en courant. Il semble se diriger vers le sentier qui mène au pré. Les trois cousins se lancent à ses trousses.

Au début, ils courent plus vite que l'intrus et sont sur le point de le rattraper. Rapidement ils sont suffisamment près pour voir qu'il traîne derrière lui une chose lourde et encombrante qu'il lâche, sans doute pour pouvoir leur échapper. Mais Alex ne s'en aperçoit pas, il se prend les pieds dedans et tombe de tout son long. Ne parvenant pas à s'arrêter à temps, les deux autres tombent à leur tour. Alex se frotte la jambe et jure en français.

C'est un gros bidon en plastique rempli d'eau que l'inconnu a abandonné au milieu du sentier.

– Je crois que je me suis foulé le pied! gémit Alex. Continuez sans moi!

Julia et George reprennent leur course. Ils foncent le plus vite qu'ils peuvent mais l'inconnu a pris de l'avance et ils le devinent au loin, à l'endroit où le chemin se divise en deux. Par où va-t-il passer ?

Bientôt, ils ne le voient plus du tout. Ils s'arrêtent pour faire silence et essayer de le localiser, mais ils n'entendent que les stridulations des grillons et le ressac de la mer.

– Par où est-il parti ? chuchote Julia.

– Aucune idée, répond George. Il se cache peut-être dans un buisson en attendant qu'on s'en aille ? À moins qu'il attende le moment propice pour nous attaquer par-derrière ?

George se demande si le personnage mystérieux a une arme. Ne serait-il pas préférable de faire marche arrière et de rentrer à la maison ? Ils avaient bien décidé de ne rien entreprendre tant que Frida n'était pas revenue. George entend la forte respiration de Julia derrière lui. Elle a aussi peur que lui.

– Tu ne trouves pas qu'on devrait rester ici jusqu'à ce qu'il fasse jour ? demande-t-elle. Il aura plus de mal à se cacher et il ne peut pas être parti très loin.

Soudain ils entendent quelqu'un pousser des cris derrière eux.

– C'est Alex ! dit Julia. Il faut aller le voir.

Ils se précipitent vers l'endroit où ils ont laissé leur cousin. On dirait d'ailleurs que ce sont deux personnes qui crient.

Tout essoufflés, ils retrouvent Alex allongé par terre en train de se faire rouer de coups.

Julia est la première à comprendre la situation. Elle s'avance et attrape l'agresseur par le col. C'est Bourdon qui tient encore le maillet dans la main !

– Cette espèce de cinglée s'est jetée sur moi avec son maillet alors que j'étais tranquillement assis par terre, siffle Alex. Elle aurait pu me tuer ! Et elle n'a pas hésité à me donner des coups sur mon pied blessé !

– Comment je pouvais savoir que c'était toi ? Moi, je croyais que c'était l'espion, sanglote Bourdon, toute malheureuse.

– Si tu croyais vraiment que c'était un dangereux espion et que tu t'es jetée sur lui, c'est que tu es très courageuse ! la console George.

Le visage de Bourdon s'éclaire et elle ose même donner une petite tape sur l'épaule d'Alex pour s'excuser.

– En tout cas, ce qui est sûr c'est que ce n'est plus la peine d'essayer de retrouver l'intrus! constate Julia. Avec ce raffut, il n'a pas eu de problème pour s'enfuir!

Ils reprennent le chemin de la maison. Trop bouleversés pour retourner au lit tout de suite, ils grimpent l'escalier en colimaçon jusqu'à l'atelier de Frida.

– N'allumez pas! dit Julia. Sinon, on pourrait nous voir de l'extérieur.

– Tu veux dire que quelqu'un pourrait nous viser avec un fusil? la taquine George. Un tireur d'élite, peut-être, qui serait venu sur l'île pour voler de l'eau?

– Imbécile! siffle Julia. Non, c'est parce qu'on ne voit pas ce qui se passe dehors si on allume. Elle a effectivement pensé à un homme armé, mais elle ne veut pas l'admettre.

La lumière éteinte, ils se postent devant la grande fenêtre de la tour mais sans rien découvrir d'inhabituel. Pas de feu, par exemple. Un nuage passe devant la lune et la nuit s'assombrit encore davantage.

– Bon, qu'est-ce qu'on fait maintenant ? demande Alex. L'idée de monter la garde n'était pas très réussie !

Il s'aperçoit que Bourdon baisse la tête et prend un air triste.

– Moi aussi j'aurais pu m'endormir, la console-t-il. Une fois, à l'école, je me suis assoupi au beau milieu d'un cours de chimie. Les autres en ont profité pour verser de l'acide gras saturé dans mes cheveux. Vous savez ce que ça sent ? La mouffette !

– Bizarrement, j'ai moins peur maintenant, dit Julia. En tout cas, on n'a pas affaire à un super malfaiteur, ça c'est sûr. Notre bandit se cache dans la forêt et il n'a même plus d'eau !

– Et dès qu'il nous voit il se sauve en courant, ajoute George.

– La question est de savoir quels sont ses plans, dit Alex. Il semblerait qu'il soit prisonnier ici, vu qu'aucun bateau n'est amarré. La distance entre l'île et le continent est beaucoup trop grande pour qu'il puisse repartir à la nage. Et il ne peut pas vivre sans eau. Donc, comment va-t-il s'y prendre la prochaine fois ?

Bourdon se blottit contre sa sœur en frissonnant. Elle vient de se rendre compte d'une chose.

– Où est Chatpardeur ? dit-elle en cherchant le chat des yeux. Il ne vous a pas suivis ?

Les autres la regardent. En effet, ça fait longtemps que personne ne l'a vu.

– Il était dans mon lit quand je me suis habillée. Mais je ne sais pas ce qu'il est devenu depuis, dit Julia.

– Quand je me suis réveillée et que je suis partie à votre recherche, il était avec moi, dit Bourdon. Je m'en souviens très bien parce qu'il n'arrêtait pas de miauler. On aurait dit un vrai chat-ninja !

– En tout cas, il n'est pas dans la tour. Sinon, il serait venu nous voir, ajoute Julia en ouvrant la fenêtre.

– Chatpardeur !!! Chapaaardeuuuur ! appelle-t-elle vers la nuit noire.

Ils tendent tous l'oreille mais ils ne perçoivent pas le moindre petit miaulement.

Chatpardeur a disparu !

## Chapitre 14
## *Qu'est-il arrivé à Chatpardeur ?*

Le lendemain, tout le monde est fatigué et découragé. Alex et Julia n'ont dormi que quelques heures. Chacun a assuré une garde, installé sur le balcon, les yeux plongés dans l'obscurité et sans s'assoupir.

Pour ne rien arranger, il pleut à verse.

– Je ne comprends pas où a pu passer Chatpardeur, dit Julia d'une voix morose. On est sur une île, il ne peut pas se trouver bien loin. Il nous a forcément entendus.

– Il ne nous a jamais quittés comme ça, sanglote Bourdon. Pas souvent, en tout cas. Quelques jours, seulement. Parfois.

– Et on fait quoi avec le voleur d'eau? dit Alex.

– Est-ce que quelqu'un se sent le courage d'enfiler son imperméable et de partir à sa recherche? À l'heure qu'il est, vu ce qu'il tombe, il a dû récupérer assez d'eau, dit George.

– S'il se cache dans la forêt, c'est qu'il a une bonne raison d'être ici, grommelle Julia. Est-ce qu'il a peur de la police, ou de quelqu'un d'autre, au point de ne pas oser se montrer, même s'il n'a ni nourriture ni eau? Il peut sans doute tenir encore un peu mais après? Et s'il devient fou?

– Est-ce qu'on va rester ici à attendre qu'il nous saute dessus quand on dort? demande Bourdon en prenant un air menaçant. À mon avis, on devrait repartir à sa recherche ensemble. Il faut au moins qu'on retrouve Chatpardeur!

– Je suis d'accord, dès qu'il arrête de pleuvoir on y retourne! dit Julia qui, elle aussi, s'inquiète pour son chat. On ne peut pas faire comme si de rien n'était. Il faut sauver Chatpardeur!

Mais la pluie tombe sans discontinuer. Les quatre cousins restent bien au chaud dans la maison de Frida. Julia allume un feu dans la cheminée, Bourdon et George s'installent confortablement sur une peau de mouton avec un livre d'aventures. Julia et Alex, eux, jouent aux cartes avant de trouver un vieux jeu de dames chinoises dans un tiroir. Puisqu'il manque la moitié des pions, ils les remplacent par ce qu'ils trouvent : des coquillages, des cailloux, des trombones. Le feu qui crépite dans la cheminée et la pluie qui tambourine sur le toit créent une ambiance douillette.

– Bon, j'arrête. Je ne sais plus si ce pion est à toi ou à moi, dit Alex en donnant une pichenette sur un coquillage. Je vais m'occuper du dîner.

Julia le suit dans la cuisine et ensemble ils préparent un gratin de pommes de terre bien crémeux qu'ils font cuire dans le four à bois. Julia, qui n'a jamais cuisiné de sa vie, est très fière de leur plat. Pour l'accompagner, ils font griller des saucisses sur le feu.

Ce n'est qu'au coucher du soleil que la pluie cesse enfin. Habillés d'imperméables et de bottes trouvés dans la penderie de tante Frida, les quatre cousins s'engagent sur le sentier.

L'herbe mouillée frotte contre leurs jambes et ils grelottent de froid en parvenant à la lisière de la forêt. Ils n'ont cessé d'appeler Chatpardeur tout au long du trajet mais toujours sans aucun signe de l'animal.

– Tant pis si le bandit nous entend, soupire Julia. Le plus important c'est qu'on retrouve mon chat !

Au même moment, ils entendent « Frrrrrrr ! » derrière un buisson près du sentier. Tout le monde sursaute.

– C'est Gervir ! dit Bourdon. Oh le pauvre, il est tout seul dans le noir et sous la pluie !

– Gervir est un cheval, Bourdon. Un cheval ! insiste Julia. Les chevaux n'ont pas besoin de vivre dans un appartement meublé. Ils ne sont pas malheureux dehors ! S'il pleut, ils s'abritent sous un arbre, c'est tout.

Gervir sort de derrière le buisson et leur donne un coup de tête amical, comme pour leur dire : « Où sont les pommes ? » Ils caressent sa crinière mouillée mais personne n'a envie de le monter. Son dos est sombre d'humidité.

Julia repense à l'étranger mystérieux caché quelque part sur l'île. Est-il trempé lui aussi ? Il a peut-être faim ? Et froid ? En ce moment il claque peut-être des dents sous un arbre ? À moins qu'il ne soit en train de concevoir un nouveau plan pour s'introduire dans la maison et voler ce dont il a besoin ? L'idée la fait frissonner. Elle se met à sa place, si elle était dehors sous la pluie toute seule, elle serait désespérée.

– C'est fou cette histoire ! dit-elle en attrapant le bras de George. Un type, ou plusieurs, se cache sur l'île et on ignore tout de lui, ou d'eux. Est-ce que c'est un prisonnier évadé ? Un assassin ? Ou un contrebandier ? En tout cas, ce qui est sûr c'est que ce n'est pas un gentil scout en excursion...

Julia se rend compte que sa voix reflète son anxiété mais elle n'a pas besoin de la cacher, George n'est pas du genre à jouer les gros durs.

– Moi aussi j'ai peur, dit-il en la regardant. Mais je suis certain que celui qui se cache dans la forêt a encore plus peur que nous. Sinon, il nous aurait déjà attaqués.

Attaqués ? se dit Julia. Elle imagine un type louche se faufiler dans la tour pour les... Non, il ne faut pas penser à ça. À présent il y va de la vie de Chatpardeur !

– La question est de savoir ce qu'on fait maintenant, dit George. Il fait nuit, ça ne sert plus à rien de continuer à chercher. Et on ne voit de feu nulle part. On ne verra même pas les branches qu'on a enfoncées dans la terre pour nous servir de repères. Je propose qu'on rentre se coucher.

Les autres acquiescent et font demi-tour. Seule Bourdon veut continuer à chercher Chatpardeur.

– Lui, il n'est pas habitué à dormir dehors, dit-elle. Il doit être malheureux dans cette forêt toute trempée. Je veux qu'on le retrouve et qu'il dorme dans mon lit ! Vous croyez que le bandit l'a fait griller sur le feu parce qu'il a faim ? s'inquiète-t-elle soudain.

– Pfff, du chat grillé... soupire Alex.

– Oui ! dit Bourdon vexée. Il se peut qu'il soit français, le bandit, puisqu'il écrit des lettres en français ! Et tout le monde sait que les Français mangent des escargots et des vers de terre ! Alors, pourquoi ils ne mangeraient pas du chat ?

– Des vers de terre ?! On ne mange pas des vers de terre ! s'oppose Alex furieux. Ni du poisson pourri, comme vous !

– Je suis désolé, Bourdon, les interrompt George, mais il n'est peut-être pas impossible que Chatpardeur se soit fait attaquer par une bête sauvage. Il peut être blessé. Ce n'est pas normal qu'on ne l'ait pas vu de la journée.

– Comment ça une bête sauvage ? demande Bourdon les larmes aux yeux. Par un grèbe, alors ? Tante Frida dit qu'il n'y a pas d'autres animaux sauvages sur cette île !

– Ça peut être un renard, répond calmement George. Il arrive que les renards attrapent des chats s'ils ne trouvent rien d'autre à manger pour leurs petits...

Un énorme « Yaouuuu ! Miaouuuu ! » se fait soudain entendre derrière eux.

Chatpardeur bondit d'entre les arbres et atterrit à leurs pieds. Il a quelque chose dans la gueule. Quelque chose de gros. On dirait que sa langue a doublé de volume.

– Mon Chatpardeur ! s'exclame Bourdon en se jetant à genoux sur le sentier mouillé. Mon amour, tu es vivant ! Je le savais ! Mais qu'est-ce qu'ils ont fait à ta langue ?

Alex s'accroupit et attrape ce que le chat tient dans sa gueule.

– Mon saucisson vaudois ! hurle-t-il. Mon délicieux saucisson fumé que j'ai rapporté de France !!! Moi qui croyais que c'était le bandit qui l'avait volé. Chatpardeur, lâche ça tout de suite ! Plus vite que ça !

Alex tire sur le saucisson mais Chatpardeur ne veut rien entendre. Il griffe et miaule comme un fou et refuse de lâcher prise.

C'est Alex qui finit par céder.

– Alors garde-le, sale chat ! dit-il. De toute façon, je ne veux pas manger ce que tu as tenu dans ta gueule.

Chatpardeur s'allonge sur le sentier boueux et continue à se régaler. Ça fait rire tout le monde. Mais Julia est préoccupée.

– Alex, tout à l'heure tu disais que c'était le bandit qui avait volé le saucisson. Ça veut dire que tu l'avais rangé dans la cave de tante Frida, n'est-ce pas ?

– Oui! confirme Alex. Et il a disparu en même temps que les boîtes de conserve.

– Ça veut dire… ça veut dire que Chatpardeur a rencontré le bandit et que cet homme lui a donné le saucisson. Ou que Chatpardeur le lui a volé! résume George pensif.

– C'est donc avec lui que Chatpardeur a passé la journée! conclut Bourdon surexcitée. Le bandit l'avait pris en otage!

– Pourquoi veux-tu que le bandit prenne notre chat en otage? la rabroue Julia. Pour demander une rançon?

– Ne compliquez pas tout! les interrompt George. Chatpardeur peut très bien avoir rencontré le bandit et lui avoir volé le saucisson. Mais il se pourrait aussi que le bandit l'ait retenu pour une raison ou une autre. Ou alors que Chatpardeur soit resté avec lui parce qu'il s'y sentait bien!

– Impossible! s'oppose Bourdon. Il était prisonnier et il s'est évadé! Oh, qu'est-ce que j'aimerais que tu saches parler, Chatpardeur!

– Yaouuuuuu! Miaouuuuuu! lui répond le chat.

– Oui, c'est ça, dit Bourdon en le caressant. Tu sais parler mais c'est nous qui sommes trop bêtes pour comprendre.

## Chapitre 15
### *Le fantôme noir*

– Frida rentre ce soir, dit Julia. Il faut absolument qu'on lui explique ce qui s'est passé.
Espérons qu'elle ne nous en voudra pas de ne
pas l'avoir appelée. Et de ne pas lui avoir parlé
du feu !

– J'ai le pressentiment qu'il va encore se passer beaucoup de choses aujourd'hui, dit Alex.

Les quatre cousins prennent leur petit déjeuner autour de la table du jardin. La pluie a cessé
et l'île aux Grèbes est magnifique, verdoyante et
fumante d'humidité. Le soleil est déjà très chaud

et le petit déjeuner d'Alex délicieux, comme d'habitude.

– Je ne me suis jamais sentie aussi libre, poursuit Julia, totalement libérée des adultes. D'habitude ils me téléphonent ou ils m'envoient des mails !

– Pour moi, ça ne change pas grand-chose, dit George. Quand ma mère part en tournée, elle oublie généralement de m'appeler et quand elle se souvient de moi, elle peut très bien m'envoyer une énorme boîte de chocolats de Säffle ou d'ailleurs. Et ça me va très bien. Ce serait insupportable d'avoir constamment quelqu'un sur le dos. Je trouve tante Frida parfaite. Un peu indifférente, juste ce qu'il faut.

– Moi, mon père et ma mère me manquent un peu, avoue Bourdon d'une toute petite voix. Mais ça doit être très cher d'appeler d'Inde.

Son visage brille de miel et de confiture.

– Ce qui me manque à moi c'est de regarder mes mails, dit George. Et Facebook !

– À moi aussi ! Le premier jour j'ai demandé à Frida où était son ordinateur, devinez ce qu'elle m'a répondu ! dit Julia.

– « Un ordinateur? Quel ordinateur? Je n'ai pas ça, non, ça je n'ai pas! » répond Alex en imitant sa voix.

Ça fait rire tout le monde.

– Mes parents non plus ne m'appellent pas souvent quand ils travaillent, dit Alex. C'est beaucoup trop cher de téléphoner d'un bateau. Par contre, ils m'envoient une carte de chaque port. Il y a sûrement une grosse pile qui m'attend dans la boîte aux lettres de tante Frida.

– Tante Frida a une boîte aux lettres? s'étonne Bourdon. Où ça? Je ne l'ai même pas vue!

– Ah bon? se moque Alex. Tu n'as pas remarqué le facteur qui vient à la nage tous les matins avec les lettres entre ses dents?

– C'est vrai? Il fait ça?

Bourdon est impressionnée.

– Tante Frida a une boîte postale au bureau de poste d'Östhamn, rectifie Julia en soupirant. Elle m'a donné la clé, au cas où on voudrait y passer en allant faire nos courses. C'est d'ailleurs ce qu'on devrait faire, non?

– Oui, il manque des petites choses dans le garde-manger… dit Alex.

Les autres soupirent.

– Comme par exemple des bonbons et des nouvelles BD ! dit Bourdon en étalant une couche supplémentaire de miel sur son croissant.

– On pourrait aussi faire un tour à la bibliothèque pour regarder nos mails et surfer un peu sur le Net, propose George. Histoire de montrer à nos copains qu'on est toujours en vie !

– Mais… est-ce qu'on peut se permettre de quitter l'île ? Si jamais il… ? lance Julia en frissonnant.

– Oui, à condition de verrouiller partout et de barricader la cave ! dit Alex sur un ton décidé. Il reste encore de bonnes choses à manger.

– On n'a qu'à trouver une cachette pour tes vieux saucissons ! suggère Bourdon. Comme ça on pourra aller à Östhamn avec la barque. Chatpardeur restera ici avec Gervir. J'ai remarqué qu'ils s'entendaient bien, ces deux-là.

– Je pense à un truc ! dit Julia. Si on prend la barque, le voleur ne pourra pas quitter l'île. Il sera prisonnier ici !

– À moins que ce soit un champion de natation de fond ! dit George. Il y a au moins deux kilomètres jusqu'au continent.

– Et on peut se demander pourquoi un nageur de fond se cacherait sur une île. Non, tout va bien se passer, on y va ! Je prends les sous.

Tante Frida leur a laissé un porte-monnaie avec de l'argent.

Le portable de Julia, muet depuis plusieurs jours, sonne soudain.

– C'est maman ? s'écrie Bourdon en essayant d'attraper le téléphone.

– Chuuut, non, c'est Frida ! dit Julia. Salut Frida ! Ton exposition se passe bien ? Oh là là, qu'est-ce que tu dis ? Quand ça ?

Les autres tendent l'oreille.

– Non, c'est vrai ?! Oui, je comprends ! Ne t'inquiète pas, on se débouille très bien tout seuls, au moindre problème on t'appelle ! Non, on n'a rien remarqué d'inhabituel. Bonne chance ! Oui, on va être vigilants !

Julia ferme son portable et regarde les autres. Elle n'a pas l'air très rassurée.

– Julia, raconte ! Qu'est-ce qu'elle t'a dit ? insiste George.

– Frida reste quelques jours de plus à Stock-holm parce qu'il s'est passé un truc bizarre, explique Julia.

– Quoi? Mais quoi, Julia? demandent les autres en chœur.

– Quelqu'un aurait plagié plusieurs de ses œuvres et les aurait vendues à différentes gale-ries de Stockholm! Du coup, plus personne ne veut lui acheter ses nouvelles sculptures, ils disent qu'ils en ont déjà suffisamment!

– Ça veut dire quoi « plagier »? demande Bour-don.

– Imiter. Reproduire les sculptures de Frida et les vendre pour beaucoup d'argent, ce qui fait qu'elle ne peut plus vendre les siennes, les vraies!

– Aïe! dit Bourdon. Ce n'est vraiment pas bien! C'est quand même grâce à ses vieux machins en tôle qu'elle gagne son argent!

George claque des doigts. Il a une idée.

– Je sais! C'est évidemment un voleur d'œuvres d'art qui est caché dans la forêt et qui attend de pouvoir piquer les sculptures de Frida! Pour les revendre très cher!

– Jusqu'à présent, il n'a volé que de la nourriture, de l'eau et du bois, fait remarquer Julia. Si c'était un voleur d'art, pourquoi resterait-il caché pendant des jours et pourquoi ne volerait-il que des boîtes de conserve ?

– En tout cas, mieux vaut bien verrouiller la tour pour que personne ne puisse accéder à l'atelier de Frida pendant notre absence. Je m'en occupe ! dit Alex.

Pendant que les autres se préparent, Alex fait le tour de la maison. Il met des chaînes autour des poignées de porte de la cave et de la tour et les ferme avec des gros cadenas rouillés qu'il a trouvés dans l'atelier de Frida.

– Voilà ! dit-il satisfait. Aucun voleur d'art, ni de saucisson, ne pourra entrer ! Mais il faudrait quand même préparer le déjeuner avant de...

– Non ! l'interrompt Bourdon. Alex, tu fais la meilleure cuisine du monde, mais le problème c'est que ça prend des heures. Des heures ! Et mon ventre a déjà commencé à réclamer des hamburgers ! Des hamburgeeers !

Alex ronchonne. Il est vexé. Julia et George sont d'accord avec Bourdon : il faut partir.

Ils descendent au ponton et s'installent dans la barque. Chatpardeur semble avoir surmonté sa peur et se prépare à sauter dans l'embarcation mais Bourdon l'en empêche.

– Aujourd'hui tu restes ici ! Tu es un chat-gardien ! Toi et Gervir vous allez surveiller la maison pour nous ! lui explique-t-elle.

Chatpardeur râle en poussant de gros miaulements. Dépité, il va s'asseoir sur une pierre en les fusillant du regard. À présent, Julia et George sont mieux synchronisés et la barque avance rapidement.

Arrivé à une centaine de mètres de l'île, Alex pousse un cri :

– Regardez ! En haut de la colline ! Qu'est-ce que c'est ?

Bourdon suit son regard et pousse un hurlement.

– Un fantôme ! Un fantôme ! Un fantôme tout noir et sans tête !

– Il y a quelqu'un là-haut ! dit Alex, le visage blême. Quelqu'un qui est habillé d'un long manteau noir.

# Chapitre 16
## *Sur les traces du faussaire !*

– Ce n'était personne, je vous dis! Juste un genévrier particulièrement sombre!

Julia ne veut pas croire qu'il y a un étranger habillé tout en noir sur l'île. Et encore moins un fantôme.

– Ah bon? Et là, le genévrier est rentré chez lui? Tu vois encore quelque chose sur la colline? ironise Alex.

– Je me range du côté de Julia, dit George. On est trop loin pour être certains de ce qu'on voit.

Ça peut être des buissons, des arbres ou autre chose. Et soyons réalistes, pourquoi est-ce qu'il y aurait quelqu'un habillé en noir tout là-haut ?

– Il vaut mieux ne plus y penser, sinon on va devenir fous, soupire Julia. Maintenant on va passer un moment agréable à Östhamn, on va faire des courses, manger des hamburgers...

Tout le monde est d'accord, il faut oublier la silhouette mystérieuse sur la colline de l'île aux Grèbes.

Ils commencent par commander des cheeseburgers sur la grand-place. Bourdon en veut trois pour elle toute seule, ce qui fait beaucoup rire Alex. Puis ils font un tour dans la petite ville, ils regardent les vitrines et imaginent ce qu'ils achèteraient s'ils étaient riches. George profite d'un moment d'inattention de ses cousins pour entrer dans une boutique. Il ressort avec un sac en plastique. Il ne veut pas dire ce qu'il a acheté, malgré l'insistance des autres.

– Juste quelques petits trucs, marmonne-t-il.

Munis chacun d'une grosse glace, ils s'installent ensuite dans un parc. Sur un banc un peu plus loin est assis un jeune garçon avec une casquette et un gilet plein de poches. Autour de la taille il a un sac banane bien rempli qu'il tripote en lançant des regards inquiets autour de lui.

Pendant que les cousins finissent leurs glaces en bavardant, George sort de son sac un grand bloc à dessins et une boîte de crayons.

– C'est quoi ? demande Bourdon avec curiosité.

– Du fusain, murmure George. J'aime bien dessiner au fusain.

– Montre-nous comment tu fais ! dit Julia. Tu n'as qu'à croquer le garçon sur le banc, là-bas.

George se met à l'œuvre. Ses mouvements sont rapides et précis. Quelques minutes plus tard, il leur montre son dessin. Il a réussi à capter l'expression inquiète sur le visage du garçon et ses doigts qui tripotent la fermeture éclair de son sac banane. C'est tellement ressemblant qu'Alex pousse un sifflement admiratif.

– Tu es un vrai artiste, George !

Bourdon, elle, ne quitte pas des yeux le garçon sur le banc. Soudain elle leur dit tout bas :

– Vous avez vu ce qu'il a dans son sac ?

Le garçon a sorti quelque chose. Ce n'est qu'au bout d'un moment qu'ils comprennent que c'est une grosse liasse de billets.

– Oh! Un braqueur de banque! s'exclame Bourdon tout excitée. Qu'est-ce qu'on fait?

– Pfff, il n'y a pas que des braqueurs de banque qui se baladent avec une liasse de billets! dit Julia en haussant les épaules.

– Alors qui d'autre? bougonne Bourdon.

– Par exemple des gens qui ont gagné une grosse somme en pariant! Ou ceux qui ont économisé pour s'acheter une moto!

– Des courses de chevaux! intervient George. Tu crois qu'il y a un hippodrome dans une petite ville comme Östhamn? Ici ça m'étonnerait qu'on puisse jouer à autre chose qu'à la loterie. Et le gros lot doit être quelques kilos de café! Mais sinon je suis d'accord avec toi, Julia. Peut-être qu'il se promène avec tout son salaire dans son sac. Enfin, ça ne nous regarde pas. On va à la bibliothèque maintenant?

Dans la petite bibliothèque d'Östhamn il fait chaud, la salle est poussiéreuse et vide. Les cousins sont les seuls visiteurs. Alex se rend immédiatement au rayon des livres de cuisine, Bourdon, elle, s'installe sur une chaise avec des bandes dessinées, George et Julia se dirigent vers les ordinateurs que leur indique une biblio-thécaire sympathique en jean.

– N'oubliez pas que nous fermons dans une heure, dit-elle. L'été nous ne restons pas ouverts très longtemps.

– Oh, déjà dans une heure ! regrette Julia.

– Les bibliothécaires aiment se baigner, elles aussi, lui sourit la jeune femme rousse.

Julia et George lisent tous les mails qu'ils ont reçus depuis leur arrivée chez tante Frida. La mère de George lui annonce que sa pièce, qui parle des problèmes relationnels d'un couple à Manhattan, a connu un succès fou à Övre Sopporo dans le Grand Nord. Les parents de Julia et de Bourdon racontent qu'ils sont bien arrivés dans leur village en Inde, qu'ils ont eu la tourista et de sacrés coups de soleil mais qu'ils vont mieux. Seul Alex n'a pas de nouvelles de sa famille. Mes parents doivent être débordés, c'est la haute saison en ce moment pour les croisières, se console-t-il.

– Bon, dit-il en s'adressant aux autres, maintenant je vais faire les courses. Vous n'avez pas besoin de venir avec moi. Rendez-vous devant la barque dans une heure, ça vous va ?

Il prend quelques billets dans le porte-monnaie et s'en va.

Julia regarde sa montre. Constatant qu'il reste un quart d'heure avant la fermeture de la bibliothèque, elle décide d'en profiter pour surfer sur le Net. Soudain elle s'écrie :

– George, Bourdon, venez voir !

Les deux cousins viennent se poster devant l'écran.

– Oh, regardez ! s'exclame Bourdon toute joyeuse. Ce sont les trucs en tôle et ficelle de tante Frida !

Julia a tapé le nom de sa tante et est arrivée sur le site de quelqu'un qui vend de l'art. Il y a la photo d'une sculpture qui représente une grosse femme tenant un tournesol à la main. Elle est faite en tôle et en ficelle, les matériaux qu'utilise tante Frida.

Mais George a des doutes.

– Cette sculpture n'a pas été faite par notre tante ! dit-il. Ses œuvres ne sont jamais figuratives. C'est forcément quelqu'un qui essaie d'imiter son style ! Oh regardez ! Il y a plein de sculptures « Frida Karlsson » en vente.

La bibliothécaire a déjà préparé son sac de plage et attend. Julia, George et Bourdon lui font un signe de la main et se rendent au petit bureau de poste d'Östhamn. La boîte de Frida est pleine à craquer de cartes postales, de lettres et de factures. À leur joie, ils voient qu'une grande partie du courrier est adressée à Alex. Il n'a pas été si oublié que ça !

Sur le chemin du retour, ils passent devant une boutique qui vend des objets anciens. Sur une enseigne rouillée au-dessus de la porte est écrit « Antiquités et Curiosités ».

– Regardez dans la vitrine ! dit Bourdon.

Parmi une vieille chaise cassée à l'assise brodée, un tableau avec un cadre doré et écaillé est exposée... une sculpture en tôle et ficelle représentant un gros chien avec un os dans la gueule.

– Encore une imitation ! constate Julia. Tu as raison, George. Les sculptures de Frida ne représentent jamais des chiens ni des femmes ! Elles sont beaucoup plus abstraites et ont des titres comme *Galax 3* ou *Expressions*.

Julia pousse la porte et entre en trombe dans la boutique suivie de George et de Bourdon. Une vieille dame avec des lunettes aux verres épais se tient derrière le comptoir et les regarde avec surprise.

– Tiens, de jeunes clients ! Qu'est-ce que je peux faire pour vous ?

– La sculpture dans la vitrine, d'où vient-elle ? demande George.

– C'est amusant que vous me demandiez ça. Je viens justement de l'acheter. C'est l'œuvre d'une artiste très connue qui vit ici à Östhamn.

– Comment le savez-vous ? demande Julia.

– Comment je le sais ? Le jeune homme qui me l'a vendue m'a dit que c'était une vraie « Frida Karlsson ». Il ne voulait pas la vendre mais il avait besoin d'argent, m'a-t-il expliqué. Et cette sculpture est très caractéristique de son style ! dit la vieille dame. Tiens, le voilà, poursuit-elle en jetant un œil par la fenêtre.

Un jeune type avec une casquette vissée sur la tête est justement en train de monter dans une vieille voiture toute cabossée.

Julia, Bourdon et George se précipitent dans la rue, mais trop tard, la voiture a déjà démarré et tourne bruyamment à l'angle de la rue. Elle a apparemment un problème de pot d'échappement.

– Vous l'avez reconnu ? s'exclame George tout excité. C'était le gars du parc avec le sac banane plein de fric !

## Chapitre 17
### *La battue !*

Les enfants descendent au port et s'assoient sur un banc pour attendre. Alex n'est toujours pas là.

– Bon, on ne peut rien faire, il ne nous reste plus qu'à rentrer à l'île aux Grèbes, dit Julia. Mais ce n'est vraiment pas drôle, j'aurais tellement aimé pouvoir aider tante Frida à attraper ce plagieur !

– Mais... on ne va pas le dénoncer au commissariat ? demande Bourdon déçue. Ils pourraient envoyer des policiers sur le lieu du crime pour le baliser avec des bandes en plastique et après ils déposeraient une poudre sur la sculpture pour relever ses empreintes digitales qu'ils photographieraient et puis ils...

– Tu as trop regardé la télé, Bourdon! l'interrompt George en riant.

– Quel lieu du crime? Tu parles du magasin d'antiquités? Le gars n'a tué personne et même s'il l'avait fait, la police mettrait des heures à arriver. Et d'ailleurs, on n'est pas certains qu'il soit coupable de quoi que ce soit. L'œuvre est peut-être réellement de Frida! Elle faisait peut-être ce genre de sculptures quand elle était jeune!

– On peut avoir la réponse tout de suite! Je l'appelle! dit Julia.

Elle prend son portable et compose le numéro de Frida. Celle-ci ne décroche pas.

– On essaiera ce soir. Comment ça se fait qu'Alex ne soit toujours pas arrivé? s'étonne- t-elle. Où est-il? Il devrait être là depuis une bonne demi-heure déjà.

Ils attendent encore un moment sur le banc. Bourdon en a tellement marre qu'elle donne des coups de pied énervés dans le gravier en ron-chonnant.

– Je compte jusqu'à cent, s'il n'est pas revenu d'ici là, je vais m'acheter encore un hamburger, grogne-t-elle.

Au même moment, Alex apparaît à l'angle de la grand-rue avec deux énormes sacs de courses. Son visage est rayonnant et il leur dit quelque chose au loin.

– Qu'est-ce qu'il dit ? « Avant, avant », on dirait... propose Julia.

– Avant quoi ? Qu'est-ce qu'il veut dire par là ? demande Bourdon.

Lorsque Alex arrive à leur niveau, ils com-prennent enfin : Hareng, Hareng !

– Pourquoi tu dis « hareng », Alex Caleçon ? lui demande George.

Alex ouvre un des sacs et sort plusieurs boîtes de harengs marinés.

– Des harengs à la moutarde, des harengs à l'aneth, des harengs à l'ail, des harengs au sherry, des harengs au curry ! Et regardez ça ! Ta da ! dit-il en levant triomphalement une boîte de harengs fermentés. J'ai décidé d'apprendre la cuisine suédoise! Cette semaine, vous aurez du hareng matin, midi et soir!

Les autres échangent un regard dégoûté.

– Oh non!!! gémit Julia.

– J'ai acheté des spécialités suédoises pour vous faire plaisir! dit Alex décontenancé.

– Nous, on adore ta cuisine, Alex! dit Bourdon en lui prenant la main. Tu n'as qu'à emporter ces boîtes de harengs en France et les offrir à tes amis!

– Ou alors, mets-les bien en évidence dans la cave pour que le voleur les prenne et nous laisse le reste, ajoute George, qui ne raffole pas non plus des harengs marinés.

Ils s'installent dans la barque et mettent le cap sur l'île aux Grèbes. Alex, encore un peu vexé, ne desserre pas les dents de tout le voyage, ce qui rend Bourdon d'autant plus bavarde. Elle lui explique en long et en large ce qu'ils ont découvert chez l'antiquaire.

Julia est silencieuse, elle aussi. S'est-il passé quelque chose sur l'île pendant leur absence? Alex et Bourdon ont-ils réellement vu un fantôme noir en haut de la colline ? Non, ça ne pouvait être qu'un buisson !

Quand ils accostent, Chatpardeur les attend sur le ponton, bondissant de joie. Il se frotte contre leurs jambes en ronronnant et en miaulant bruyamment.

Rien ne semble avoir changé, ni dans la tour ni dans la maison de Frida. Les cadenas et les chaînes sont toujours sur les portes.

Tout d'un coup, George pousse un cri.

– Mon portable ! Il est posé sur la table du jardin alors que je suis certain de ne pas l'avoir mis là.

– Qu'est-ce que tu veux dire ? Ce matin on a pris notre petit déjeuner sur cette table, tu l'as peut-être oublié, suggère Julia.

– Non, je suis sûr que non. Ça fait plusieurs jours que je le cherche partout. Je pensais l'avoir perdu. Aucun de vous ne l'aurait...?

Tous secouent la tête.

– Bizarre ! Très bizarre qu'il réapparaisse comme ça. Que quelqu'un te le vole, on comprendrait ! Mais que quelqu'un te le rapporte ?

– Oui, très très bizarre ! dit George en tripotant les touches. En plus, quelqu'un s'en est servi ! Regardez, un appel vers un « numéro inconnu » !

Les quatre cousins restent sans voix.

– C'est forcément la personne qui est cachée dans la forêt, dit finalement Alex. Elle a trouvé le portable, elle a passé un coup de fil puis elle l'a rapporté. Toute cette histoire devient de plus en plus étrange ! D'ailleurs, celui qui a téléphoné n'a pas réussi à avoir son interlocuteur. La communication n'a pas abouti.

– Réfléchissons. Que savons-nous de la personne qui se cache dans la forêt ? dit Julia sur un ton décidé.

– Qu'elle vole de la nourriture et de l'eau dans la maison de Frida et qu'elle fait du feu pour se préparer à manger, dit George. Qu'elle n'a pas de bateau, sinon on l'aurait vu. Et que, pour une raison étrange, elle est peut-être habillée en noir. Et d'ailleurs, est-ce qu'on est sûrs qu'il ne s'agit que d'une seule personne ?

– On sait aussi qu'elle a des petits pieds, qu'elle parle français et qu'elle a essayé d'appeler un numéro secret, complète Alex.

– Mais… mais… s'enflamme Bourdon, moi, je pense que George a raison. C'est forcément le garçon qu'on a vu dans le parc avec son sac banane ! C'est lui qui est caché dans la forêt et qui vole les sculptures de tante Frida !

– Et tu crois qu'il fait des allers-retours à la nage avec son sac banane et les sculptures de Frida sur la tête ? se moque Julia. Et il n'avait pas vraiment l'air d'être français, poursuit-elle. Vous avez vu sa casquette ? C'était marqué « Droguerie Jonsson » dessus ! En plus, ses pieds étaient énormes. Et d'ailleurs, pourquoi volerait-il les sculptures de Frida ? On dirait plutôt qu'il les plagie et qu'il vend des copies.

– Mais ta remarque est intéressante, Bourdon, ajoute Alex en souriant à sa petite cousine. Moi non plus je ne comprends pas pourquoi une personne resterait cachée sur une île sans rien manger ni boire, à moins d'avoir une raison précise. Si ce n'est pas pour voler des sculptures, qu'est-ce qu'elle veut ? Comment est-elle arrivée ici ? Et surtout, où passe-t-elle ses journées ? Et ses nuits ?

Ils se taisent de nouveau.

– Demain on fait une battue ! déclare finalement Julia. On avait dit qu'on attendrait le retour
de Frida mais que pourrait-elle faire de plus que
nous ? On a nos portables, on peut appeler de
l'aide s'il le faut, on est quatre et on peut y consa-
crer la journée. On partira du foyer qu'on a trouvé
dans la forêt l'autre jour et après on se dispersera.

George et Alex acquiescent. Bourdon, elle,
empoigne le manche de son maillet de croquet.

## Chapitre 18
### *La grotte*

Le lendemain matin, les quatre cousins ont du mal à se mettre en route. Chacun a peur de ce qu'ils risquent de découvrir dans la forêt. Ils trouvent sans cesse de nouveaux prétextes pour retarder le départ.

George s'est rendu compte que Gervir et Chatpardeur s'entendent bien. Voyant tous les matins le gros chat se dépêcher d'aller retrouver son ami qui broute tranquillement dans le pré, il décide d'essayer de lui apprendre à monter à cheval. Mais le résultat n'est pas concluant bien qu'il récompense le chat avec des morceaux de hareng.

Bourdon, elle, s'entraîne à frapper avec le maillet de croquet. Systématique et déterminée, elle fait éclater des pommes de pin contre une souche.

Julia aide Alex à planter des herbes aromatiques qu'il a achetées la veille à Östhamn.

– Mmmm, enfin on va pouvoir donner du goût à nos plats, dit-il joyeusement.

– Tu es marrant, Alex ! dit Julia. Les garçons de ma classe rêvent tous d'être hockeyeurs, informaticiens ou soldats d'élite, alors que toi, tu veux être cuisinier !

– Mais je pourrais aussi être un super soldat ! rit Alex. Mais pas un soldat ordinaire. Il existe un vieux livre français qui s'appelle *La Bataille des petits pâtés* et qui imagine une guerre où les pays envoient se battre leurs meilleurs cuisiniers et non pas leurs soldats. La victoire est remportée par le pays qui a fait les meilleurs pâtés.

– Ça me paraît sensé ! dit Julia. C'est bien mieux que de se tirer dessus.

– Oh, ça me donne envie de manger du pâté. J'en fais souvent avec du porc haché, de la crème et...

– Pas maintenant, Alex ! Il faut vraiment qu'on organise notre battue.

Pendant qu'Alex prépare le déjeuner, Julia décide de rappeler Frida. Cette fois-ci, sa tante répond. Julia lui raconte ce qu'ils ont découvert chez l'antiquaire d'Östhamn et lui explique que le plagieur se trouve probablement toujours dans les environs. Frida est soulagée d'apprendre qu'ils ont enfin une piste et promet de rentrer au plus vite. Elle semble avoir totalement oublié le voleur de boîtes de conserve.

Encore une fois, le repas est excellent. Alex a fait une tarte flambée qui est une sorte de pizza à la pâte très fine garnie d'oignons, de crème et de lard croustillant. Après le déjeuner, ils se préparent enfin pour la battue.

– Qu'est-ce qu'on emporte ? demande Julia. Au cas où on trouve le type, je veux dire ?

– De la corde pour l'attacher, propose Bourdon. Et peut-être un peu de poivre pour lui jeter à la figure ! Et tout le monde doit avoir son maillet !

Bourdon prend un air féroce et brandit le sien mais fait un faux mouvement et le lâche sur le pied de sa sœur.

– Aïe !!! hurle Julia.

– Tu es plus dangereuse pour nous que pour le type dans la forêt ! constate George. Il faut absolument qu'on prenne nos portables, poursuit-il, pour pouvoir se contacter si jamais on découvre quelque chose d'intéressant.

– Exactement ! dit Bourdon enthousiaste. C'est comme dans un film que j'ai vu ! Les policiers rampaient dans la forêt et chuchotaient dans de vieilles boîtes en fer des trucs du genre : « Suspect localisé direction sud-ouest. Est sans doute armé ! »

– Oui, c'est ce que je voulais dire, rit George. Ou encore : « Bourdon, tiens-toi prête avec ton maillet ! Homme suspect et masqué derrière toi ! »

En file indienne ils s'engagent dans le chemin qui traverse le pré. Chatpardeur les suit de loin en faisant des huit avec sa queue.

Bourdon s'arrête soudain. Les paroles de George l'inquiètent.

– Et si jamais un homme cagoulé surgit d'un buisson ? dit-elle en jetant des regards angoissés autour d'elle. Dans ce cas, moi, je ne veux plus participer à la battue ! Voilà ! Vous n'aurez qu'à vous débrouiller sans moi ! Et je peux vous dire que vous regretterez de ne pas avoir pris vos maillets !

– Pfff ! Je le savais ! On aurait dû t'envoyer à Stockholm avec Frida...

– Chuuut ! fait Bourdon. Vous avez entendu ?

Son visage est blême.

Les autres tendent l'oreille.

– C'était un hibou, non ? poursuit-elle. Quand les bandits veulent s'envoyer des messages, ils hululent comme des hiboux. J'ai lu ça dans des livres.

– Tout ce que j'ai entendu c'est une mouette ! dit George, pourtant un peu pâle lui aussi.

De plus en plus tendus, ils continuent à avancer le long du sentier jusqu'à la lisière de la forêt. Ils suivent ensuite les bouts de branches qu'ils ont piqués dans la terre pour servir de repères. Bientôt, ils se retrouvent devant le foyer.

– Regardez! dit George en montrant un trou dans lequel sont soigneusement rangés des boîtes vides, des emballages et quelques bouteilles en plastique. Nous avons affaire à un bandit propre et ordonné!

– Regardez les bouteilles! dit Julia. Elles n'ont pas été achetées en Suède. L'étiquette est en français!

– S'il s'agit d'un bandit français complètement cinglé qui est en cavale et qui se cache dans cette forêt, on a de la chance de t'avoir avec nous, Alex! dit George. Au moins, tu pourras le supplier : « Pitié, pitié, ne me faites pas mal...! »

– À partir de maintenant on va progressivement élargir les cercles, déclare Julia. On se mettra par deux et on partira dans des directions opposées. On se croisera régulièrement et, comme ça, on pourra faire le bilan de ce qu'on a vu. Bourdon, tu viens avec moi et Alex et George, vous formerez l'autre équipe.

Les filles partent vers la gauche et les garçons vers la droite. Ils tournent autour du foyer en cercles de plus en plus larges. Le terrain est difficile et la marche se révèle compliquée à cause des nombreux obstacles qui leur barrent la route. Il y a partout des branches mortes et des arbres renversés par les tempêtes qui soufflent souvent sur l'île.

Régulièrement, les chemins des deux groupes se croisent et ils se font un signe de la tête. Bourdon, elle, fait le salut militaire. Rien d'intéressant n'attire leur attention.

Le soleil est maintenant haut dans le ciel et il fait très chaud. Au moment où George s'apprête à proposer qu'ils fassent une petite pause pour aller piquer une tête, son portable sonne. C'est Julia.

– Venez vite ! dit-elle en s'efforçant de ne pas parler trop fort. On est au pied de la colline, à l'ouest... non, au sud du foyer ! On vient de découvrir quelque chose !

– Comment tu veux que je sache où se trouve le sud ? Je n'ai pas de boussole sur moi !

– Retournez au foyer, mettez-vous face au soleil et marchez ensuite droit devant vous. Au bout d'un moment, vous verrez la colline !

Les garçons suivent ses indications et distinguent bientôt le T-shirt rouge de Julia et la chemise à carreaux de Bourdon au pied d'une colline escarpée.

– Alors ? Qu'est-ce que vous avez découvert ? demande Alex.

– Chuuut ! le coupe Julia en pointant du doigt un petit buisson à côté de la paroi rocheuse.

Les garçons s'approchent et s'aperçoivent que ce n'est pas un buisson mais quelques branches qui ont été piquées dans le sol pour camoufler quelque chose.

– Je crois que c'est l'entrée d'une grotte, chuchote Julia.

Ils échangent un regard pas très rassuré. Bourdon a déjà commencé à enlever les branches avec son maillet. Il y a effectivement une cavité sombre dans la roche qui semble bien être l'entrée d'une grotte.

Les quatre cousins se pressent devant l'ouverture mais il fait trop sombre pour distinguer quoi que ce soit à l'intérieur.

– Il y a peut-être un ours là-dedans ? chuchote Bourdon en se serrant contre sa sœur.

– Qui a camouflé l'entrée avec des branches ? lui répond Julia à voix basse.

– Non, ça, c'est l'œuvre d'un homme ! siffle George du coin de la bouche. J'ai la sensation qu'on va bientôt trouver la réponse à nos questions ! Mais on ne peut pas tous entrer dans la grotte, quelqu'un doit rester à l'extérieur pour appeler de l'aide si nécessaire. Qui veut y aller ? Alex ? Bourdon ? Bon Julia et moi, nous on entre ! Je compte jusqu'à trois ! Un... deux... TROIS !

Julia et George plongent dans l'obscurité.

Chapitre 19

## *Le fantôme et le nain*

– Tu as une lampe de poche ? demande Julia
tout bas à George. Il fait noir comme dans un
four là-dedans !

– J'ai une boîte d'allumettes, répond George
d'une voix à peine audible. Attends un peu...

Il tâtonne ses poches, sort la boîte et gratte une
allumette. Ils observent l'intérieur de la grotte.
Elle est petite, à peine plus grande qu'une tente
deux places, et on ne peut pas tenir debout.

– Regarde. Quelqu'un a dormi ici, dit Julia en montrant dans un coin des baluchons recouverts d'une couverture rayée.

L'allumette s'éteint, George en allume une autre.

– Et regarde là. Un drapeau !

Un morceau de tissu blanc et vert avec un symbole rouge au milieu a été coincé dans une fente de la paroi rocheuse.

– Qui a pu accrocher ce drapeau dans la grotte ? Et c'est quoi comme drapeau ? C'est une secte qui se cache ici ? demande Julia.

Son cœur bat la chamade.

L'allumette s'éteint de nouveau.

– Tu en as d'autres ?

– Il ne m'en reste plus qu'une. Profitons-en au maximum, après on ira chercher une lampe de poche, dit George en grattant la dernière allumette.

– Des sacs... et regarde, les boîtes de conserve de Frida... et le coussin de la balancelle que Frida cherchait partout ! Aïe, je me brûle !

L'allumette crépite puis s'éteint.

– Vous avez trouvé quelque chose ? s'impatiente Bourdon depuis l'entrée. Nous aussi on veut venir !

– Non ! Il y a à peine la place pour nous deux, répond Julia. On sort bientôt... Mais attends ! Que je suis bête ! George, on peut utiliser nos téléphones comme lampes de poche !

Ils allument leurs portables et passent la faible lueur fantomatique le long des parois.

– Regarde ! C'est quoi ? s'écrie Julia soudain en pointant son doigt vers l'endroit le plus sombre de la grotte.

Une forme noire se devine dans la pénombre.

– Ne bouge surtout pas ! chuchote George dans son oreille. Je crois qu'on ne nous a pas encore vus.

– Mais... c'est absolument immobile ! souffle Julia. Qu'est-ce... ?

George fait un pas rapide en avant et touche la forme noire.

– C'est juste un tissu, dit-il soulagé en l'éclairant avec son portable. Un grand tissu noir accroché à la paroi. Ah, voilà le fantôme noir qu'on a vu hier !

– Chuuut! siffle soudain Julia. J'entends quelque chose!

Ils s'immobilisent.

– Je n'entends rien, dit George.

– Chuuut... on dirait une respiration.

George tend l'oreille et entend, lui aussi, une inspiration profonde qui semble venir du fond de la grotte. Comme si quelqu'un avait besoin d'air après avoir retenu longtemps son souffle.

– C'est peut-être un animal? propose Julia d'une voix tremblante.

– Peut-être. Mais je n'en connais aucun qui utilise des valises et qui vole des boîtes de conserve. Il y a quelqu'un ici, c'est évident. Quelqu'un qui a encore plus peur que nous.

Un boucan énorme leur parvient de l'entrée de la grotte. Ils entendent Bourdon qui hurle et Alex qui crie quelque chose en français. Julia et George foncent dehors et voient Alex par terre en train de se battre avec quelqu'un en vêtements sombres et qui grogne comme un chien. Bourdon tape dans le tas avec son maillet. Alex pousse un gémissement quand il reçoit un coup dans le dos.

– Arrête, Bourdon! rugit George. C'est hyper dangereux ce que tu fais! Donne-moi le maillet!

– C'est un nain! hurle Bourdon qui refuse de lâcher le maillet. Un horrible nain qui est descendu de la colline et qui nous a sauté dessus! Il est complètement cinglé!

– Un nain? dit Julia. Tu ne vois pas que c'est un...

Mais Bourdon ne l'écoute pas. George a réussi à lui prendre le maillet mais elle continue à taper avec ses poings. George se saisit d'un bras du petit personnage en noir, Julia de l'autre et ils le soulèvent. Alex reste allongé par terre à bout de souffle.

– Lâche-le, George! dit soudain Julia. Tu ne vois pas que c'est un enfant? Un garçon!

Le petit lutte pour se libérer et donne des coups de pied dans tous les sens. Ses yeux noirs lancent des étincelles de fureur et il pousse des grognements entre ses dents serrées. Il essaie de mordre la main de Julia tout en hurlant des mots dans une langue incompréhensible.

Alex se relève.

– Lâchez-le ! Il est totalement paniqué ! Et il vous supplie de le laisser partir !

Julia et George lâchent le petit garçon qui s'effondre par terre. Il lève vers eux de grands yeux apeurés.

Bourdon a une bonne réaction. Elle s'assoit à côté du garçon et lui adresse un sourire gentil tout en lui montrant la paume de ses mains pour qu'il comprenne qu'elle n'a pas d'arme et qu'elle n'a pas l'intention de lui faire de mal.

– Voilà, voilà, dit-elle comme si elle parlait à un petit animal. Maintenant on se calme ! Ne t'inquiète pas, on n'est pas dangereux !

– Il ne comprend pas ce que tu dis, il parle français ! lui explique Alex.

## Chapitre 20

## *Comment ça « massör » ?*

– Alex, il faut que tu lui dises quelque chose !
dit Julia.

– Bien sûr.

Alex se tourne vers le garçon et lui parle
d'une voix douce qui se veut rassurante. Le petit
s'essuie les yeux d'un revers de main et s'efforce
de ne pas montrer que des larmes continuent à
couler le long de ses joues. Il regarde le groupe
d'un air méfiant puis il dit à Alex quelque chose
qui ressemble à « massör ».

– Il parle suédois ? Pourquoi il dit « massör » en suédois ? Il ne peut quand même pas être masseur à son âge ! dit Bourdon.

– Non, il dit « ma sœur », il parle de sa sœur, explique Alex. Il semblerait qu'elle soit cachée dans la grotte. Vous n'avez vu personne à l'intérieur ?

– Non, mais on a entendu une respiration, dit Julia. Ça devait être elle !

– Ouf ! dit Alex. Pendant un moment j'ai cru qu'elle était peut-être m... blessée. Je vais demander au garçon de l'appeler !

Alex s'adresse de nouveau au petit qui hoche la tête et rampe jusqu'à l'entrée de la grotte.

– Nabila... appelle-t-il plusieurs fois en ajoutant quelque chose en français mais rien ne se passe.

Alex s'avance lui aussi vers l'ouverture tout en continuant à parler doucement. Le petit respire plus calmement et ose enfin regarder Alex. Ses joues sont striées de larmes et de poussière et il n'arrête pas de s'essuyer le visage avec la manche de son pull. Les autres cousins s'assoient sur les rochers alentour et s'efforcent de paraître inoffensifs.

Rien ne se passe pendant un bon moment et Bourdon commence à s'impatienter.

– J'entre dans la grotte et je vais toucher deux mots à cette fille ! déclare-t-elle en se levant mais Julia la retient par le bras.

Le garçon appelle de nouveau sa sœur et lui parle, plus longuement cette fois. Il ne semble plus avoir aussi peur.

Une forme noire apparaît dans l'ouverture de la grotte et s'avance vers eux à quatre pattes. Elle a un tissu autour de ses cheveux et sa tête est baissée, on ne voit pas son visage. Mais ça semble bien être une fille vêtue d'une grande robe noire. Elle se relève doucement et se tient devant eux sans rien dire.

Le petit garçon s'approche d'elle et met ses bras autour de sa taille. Ils restent longuement enlacés et elle lui dit des mots réconfortants à l'oreille en continuant à éviter les regards des quatre cousins.

Alex lui dit quelque chose en français et elle lève finalement la tête vers eux. Elle paraît un peu plus âgée que Julia. Ses vêtements sont sales, elle a les yeux sombres et, comme son frère, ses joues sont striées de larmes. Elle répond en français d'une voix rauque et hésitante.

– Qu'est-ce qu'elle dit? C'est bien sa sœur? Comment elle s'appelle? Qu'est-ce qu'ils font ici? Comment deux enfants français ont pu atterrir sur l'île aux Grèbes? C'est eux qui...?

Bourdon bombarde Alex de questions.

– Chut! dit Alex en levant la main. D'abord je leur parle et après je vous expliquerai!

Il discute un long moment avec les enfants. Bourdon n'en peut plus d'attendre et fait nerveusement les cent pas devant l'ouverture de la grotte.

– Il faut quand même que tu leur demandes pourquoi ils sont si sales! Et si c'est eux qui volent les sculptures de Frida! insiste Bourdon.

Alex remonte sa mèche et regarde sa petite cousine d'un air grave.

– Il ne faut pas prendre à la légère ce qui se passe! Ces deux enfants me racontent des choses terribles! On va les ramener à la maison pour qu'ils se calment un peu. Ils ont aussi besoin de manger et de boire avant qu'on les interroge.

Vous ne voyez pas à quel point ils ont peur de nous ?

George soulève le petit garçon et l'installe sur le dos de Gervir qui se met à avancer doucement. Julia et Bourdon marchent de part et d'autre de la jeune fille qui semble complètement épuisée.

Lentement et en silence ils regagnent la maison de tante Frida. Alex ouvre la porte et invite les deux étrangers à prendre place sur le canapé. Ils s'y installent en se serrant l'un contre l'autre.

L'après-midi est déjà bien avancé et la température a commencé à baisser. George fait un feu dans la cheminée et Alex part dans la cuisine. Il revient avec deux grandes tasses de thé au miel et quelques tartines.

– Il ne faut pas trop leur donner à manger, ça fait des jours qu'ils n'ont pratiquement rien avalé, ça risquerait de les rendre malades ! explique-t-il.

Julia a honte.

– Et nous qui avons passé notre temps à nous plaindre parce qu'ils nous volaient quelques malheureuses boîtes de conserve, dit-elle. Mais qui sont-ils ?

– Attends un peu, dit Alex. J'ai encore quelques questions à leur poser, je vous expliquerai.

Les deux enfants ont l'air d'aller un peu mieux, leurs joues pâles ont même repris un peu de couleur. Ils observent la pièce et jettent des regards timides vers les cousins quand ils croient que personne ne les voit.

Alex discute encore un moment avec eux. Ils répondent à toutes ses questions, parfois si vivement qu'ils se coupent la parole. À plusieurs reprises, la jeune fille enfouit son visage dans ses mains en se balançant d'avant en arrière, comme si elle était très triste. Plusieurs fois, ils éclatent tous les deux en sanglots et le petit garçon tape du poing sur la table comme s'il voulait frapper quelqu'un. Alex hoche la tête en posant une main réconfortante sur son épaule. Bourdon, qui se tient à côté de la fille, lui caresse le dos. Les deux enfants finissent par se calmer.

– Je vous présente Amir et Nabila, commence Alex. Ils ont été abandonnés ici sur l'île par des passeurs.

– Des passeurs…? commence Bourdon mais Julia lui donne un coup de coude pour qu'elle se taise.

Alex continue :

– Ils ont quitté l'Algérie il y a environ deux semaines à bord d'une petite embarcation qui les a emmenés jusqu'aux côtes espagnoles. Ensuite ils ont traversé l'Europe, cachés dans un camion chargé de figues séchées. Ils étaient sept passagers clandestins : cinq adultes et eux deux. Tout ce qu'ils ont eu à manger pendant ce voyage c'était du pain sec et un peu de fromage. Et des figues.

– Mais pourquoi? s'exclame Julia stupéfaite. Et où sont leurs parents?

– Je n'ai pas encore osé le leur demander parce qu'à chaque fois que j'essaie d'aborder le sujet, ils fondent en larmes. En tout cas, le camion les a conduits dans un autre pays, sans doute la Pologne, il y a environ dix jours. C'est du moins ce qu'ils croient, ils ont du mal à se situer dans le temps et aussi à savoir exactement par où ils sont passés. Les passeurs les ont fait monter dans un bateau à moteur et les ont emmenés jusqu'ici.

Ils ont été débarqués sur la plage de l'île aux Grèbes en pleine nuit. L'idée était de faire descendre les clandestins à différents endroits pour que le groupe soit moins repérable. Mais cette nuit-là, la mer était tellement agitée que rien n'a marché selon les plans. Les passeurs ont laissé Amir et Nabila ici avec quelques couvertures, quelques bouteilles d'eau et un peu de pain. Puis, ils sont partis ailleurs avec les cinq adultes.

– Quels gens horribles, ces passeurs ! fulmine Bourdon. Comment ont-ils pu abandonner ces enfants sur une île ! Ils ne peuvent même pas s'en aller d'ici ! Si on n'avait pas été là, ils seraient sans doute morts à l'heure qu'il est !

Elle penche sa tête de côté et fait des grimaces pour montrer aux deux enfants qu'elle n'est pas dangereuse, mais ça a l'effet inverse. Ils ont de nouveau l'air effrayé.

– Les passeurs ont dû croire qu'ils les avaient laissés sur le continent. Il faisait tellement noir. En tout cas, c'est ce que pense Nabila, explique Alex. Elle dit que ce n'étaient pas des gens méchants mais qu'ils voulaient de l'argent. Les parents d'Amir et Nabila ont donné presque tout ce qu'ils possédaient pour que leurs enfants puissent partir ! Ils sont frère et sœur, comme je vous l'ai déjà dit. Ce qui est d'ailleurs évident, vu leur ressemblance.

Amir et Nabila sont maintenant plus calmes mais ils semblent épuisés. Tous les deux ont de gros cernes sous les yeux.

– On parlera davantage demain, dit Julia sur un ton ferme. Maintenant on va leur donner quelque chose à manger et faire leur lit !

– Bonne idée ! approuve George.

Julia met des draps propres dans le grand lit à baldaquin et Alex prépare un bouillon que les deux enfants boivent goulûment. Julia donne ensuite à chacun un grand T-shirt qu'elle a trouvé dans les tiroirs de Frida. Ils sont pleins de taches de peinture, mais tant pis ! Ça fera l'affaire. Les enfants se glissent timidement dans les draps et à peine ont-ils posé la tête sur l'oreiller qu'ils dorment déjà.

Les cousins s'éloignent sur la pointe des pieds et vont se préparer une tartine. Par moments, ils entendent les sanglots des enfants qui pleurent dans leur sommeil.

– Demain on en saura davantage, dit Alex l'air grave. Je crains que leur histoire soit vraiment terrible. La lettre qu'on a découverte dans le sable leur était sans doute destinée.

– Tout ça est tellement passionnant! dit Bourdon. Je suis sûre que je n'arriverai pas à m'endormir!

– Bourdon! dit George en fronçant les sourcils. On n'est pas dans un de tes livres d'aventures! Demain, tu promets d'être calme et de te taire!

Bourdon s'apprête à riposter mais hoche finalement la tête sans commentaires.

Bourdon, Alex et George partent se coucher dans la tour tandis que Julia s'allonge sur le canapé devant la cheminée où il reste encore quelques braises. Quelqu'un doit passer la nuit auprès des enfants au cas où ils se réveilleraient et auraient peur. Mais elle met du temps à trouver le sommeil.

## Chapitre 21

# *Fumé et coupé en tranches*

Le matin suivant, George et Bourdon se réveillent plus tôt que d'habitude et se dépêchent d'aller retrouver les autres dans la maison de Frida. Alex a déjà préparé une pile de crêpes que les deux invités dévorent en faisant de grands sourires aux cousins.

– Maintenant je ne vous en referai plus, dit Alex. Sinon vous aurez mal à vos petits ventres algériens !

Il traduit en français ce qu'il vient de dire et Amir et Nabila rient avec les autres. Ils sont transformés. Une bonne nuit de sommeil leur a fait beaucoup de bien et ils ne semblent plus du tout craintifs.

– Ils commençaient à perdre espoir, explique Alex, ils pensaient qu'ils allaient mourir dans la grotte. Le soir où on les a poursuivis et qu'ils ont lâché leur bidon d'eau, ils ont eu si peur qu'ils n'ont pas osé revenir le chercher. Mais ils avaient tellement soif... ce n'est que quand ils nous ont vus partir pour Östhamn qu'ils ont pu le récupérer. Et, au fait, Bourdon, on avait vu juste ! C'est bien Nabila qui était en haut de la colline et qui nous regardait nous éloigner. Elle portait sa longue robe noire, comme beaucoup de femmes dans son pays, avec un voile qui lui cachait le visage, c'est pour ça qu'elle semblait ne pas avoir de tête. C'étaient ses seuls vêtements encore propres. Pour calmer sa faim, son petit frère a voulu attraper un oiseau pour le faire griller. Il a découvert une cane qui couvait des œufs près de la plage et il a essayé de la tuer en lançant sa chaussure dessus. Mais l'oiseau s'est envolé, bien sûr, et le

petit garçon n'a pas osé aller récupérer sa chaussure. Ils n'avaient plus qu'une petite bouteille
pour transporter de l'eau et c'était insuffisant.
Sans eau on se déshydrate et ça fatigue. Hier, ils
étaient désespérés, ils ne savaient plus quoi faire,
ils avaient trop peur qu'on les découvre.

– Pourquoi ? demande Julia. Nous, on aurait pu
les aider ! Et pourquoi sont-ils venus en Suède ?
Et où sont leurs parents ? Et...

– Si tu peux fermer ta jolie petite bouche encore un instant, Julia, on va pouvoir écouter Alex,
l'interrompt George.

– Espèce de jolie petite bouche toi-même...
reprend Julia en fronçant les sourcils.

Alex lui fait signe de se taire, Amir et Nabila le
suivent du regard.

– Qu'est-ce que vous savez de l'Algérie ?
demande Alex à ses cousins.

Ils haussent les épaules sans répondre.

– Oui, je m'en doutais. Ce serait trop long de
vous raconter tout ce qui s'est passé dans ce pays
ces dernières années mais ce que je peux vous
dire c'est qu'il y a eu beaucoup de conflits et beaucoup de violence entre des groupes opposés.

Une guerre civile, l'assassinat d'un président et bien d'autres choses. Et le plus dangereux c'était d'en parler dans les journaux! Les parents d'Amir et Nabila étaient journalistes, tous les deux, mais le père est mort dans un attentat à la bombe. C'était il y a quelques années et depuis, la mère est obligée de se cacher. Amir et Nabila ont été accueillis par un frère de leur père et ne voyaient leur mère que très rarement. Elle venait parfois leur rendre visite la nuit, ce qui était très dangereux pour elle. Amir et Nabila adorent leur mère mais aujourd'hui ils ne savent même pas si elle est encore en vie. Quand leur oncle a reçu des menaces de mort, à son tour, leur mère a décidé d'envoyer ses enfants dans un pays en paix. Elle a un frère à Stockholm et a décidé de les lui confier. Elle a donc emprunté de l'argent à droite et à gauche et a réussi à réunir une somme suffisante pour qu'ils puissent partir en Suède.

– C'est donc pour ça que… commence Bourdon.

– Oui, mais ils n'ont pas eu de chance et ils ont atterri sur l'île aux Grèbes. Ce qui n'était pas prévu, évidemment. Ils sont ici depuis une dizaine de jours. Ils ont dû arriver juste avant nous. Ils se sont fabriqué un foyer pour faire du feu et ils ont trouvé une grotte pour s'abriter. Leur plus gros problème a été de se procurer de l'eau.

– Je ne comprends pas pourquoi ils avaient si peur d'être découverts, dit Julia. Ils pensaient rester cachés pendant combien de temps encore ?

– S'ils avaient pu rejoindre leur oncle tout de suite, ils auraient pu faire une demande d'asile, dit Alex. Mais les passeurs leur ont expliqué qu'ils seraient renvoyés en Algérie sur-le-champ si des Suédois les trouvaient avant qu'ils soient à l'abri chez leur oncle. Et il leur a fait promettre de ne pas dire comment ils étaient arrivés en Suède. J'ai mis beaucoup de temps à réussir à les faire parler.

– Les passeurs avaient sans doute peur de se faire pincer, dit Julia. Mais je pense à une chose : c'est donc eux qui ont emprunté le portable de George pour appeler leur oncle ?

Alex pose la question aux deux enfants qui se mettent à parler en même temps. Il hoche la tête et lève la main pour reprendre la parole.

– Oui, c'est eux. Quand on est partis, ils ont osé s'approcher de la maison pour chercher de l'eau à la pompe et c'est là qu'ils ont trouvé le portable que George avait perdu sur le sentier. Ils ont téléphoné à leur oncle qui est sur liste rouge parce qu'il a peur d'être repéré par ses ennemis d'avant. Le problème c'est qu'il n'a pas décroché bien qu'ils aient essayé à plusieurs reprises. Et quand Amir et Nabila nous ont entendus accoster au ponton, ils se sont sauvés. Dans la précipitation, ils ont oublié le portable sur la table du jardin. Et c'est à partir de ce moment-là qu'ils ont commencé à perdre espoir. Ils ne savent pas si leur mère est toujours vivante, il ne leur reste plus rien à manger, ils n'ont plus d'argent, les quelques vêtements qu'ils ont pu emporter sont sales après leur traversée de l'Europe. Ils disent, d'ailleurs, qu'ils aimeraient beaucoup prendre un bain !

Heureux de pouvoir enfin les aider, les cousins installent la grande bassine dans le jardin et font chauffer de l'eau sur la cuisinière à bois. Ils vont chercher des serviettes en éponge, tendent un fil entre deux arbres sur lequel ils suspendent des draps pour que les deux enfants puissent avoir un peu d'intimité. Ensuite ils vont chercher des vêtements propres dans leurs valises. Julia prête un short et un T-shirt à Nabila. Bien que les vêtements soient à sa taille, la jeune fille refuse d'abord de les enfiler. Elle explique timidement la raison à Alex qui traduit.

– Elle dit que si elle s'habillait comme ça en Algérie, les gens se retourneraient sur son passage et tôt ou tard, on la mettrait en prison. Sa mère a été arrêtée un jour parce qu'elle refusait de porter le voile. Mais elle aime beaucoup tes habits !

Bourdon la regarde, les yeux écarquillés. Aller en prison à cause de vêtements !

Amir revêt les affaires d'Alex et ressemble à n'importe quel petit Occidental avec la casquette bien enfoncée sur ses boucles noires.

Satisfaits, les deux enfants se tournent dans tous les sens devant le miroir de Frida.

Bourdon, qui a enfilé la longue robe noire de Nabila, court et saute dans la pièce jusqu'à ce qu'elle se prenne les pieds dans l'ourlet et s'étale de tout son long, la tête dans la penderie de Frida. Ça fait sourire Nabila.

Ils tentent à plusieurs reprises d'appeler l'oncle à Stockholm, toujours sans succès. Il a dû s'absenter, à moins que le numéro soit faux. Les enfants se montrent de nouveau très inquiets. D'un geste nerveux, Nabila caresse Chatpardeur qui a élu domicile sur ses genoux. Peut-être se souvient-il du bon saucisson qu'elle lui a donné.

– Ne t'inquiète pas. Tante Frida rentre demain et elle va tout arranger ! lui promet Julia.

– Miaouuuu ! confirme Chatpardeur.

– Mais au fait, on a encore du boulot ! rappelle Bourdon. Maintenant qu'on sait que ce ne sont pas des voleurs d'art qui se cachent dans la forêt, il faudrait essayer de retrouver ceux qui ont piqué les sculptures de Frida !

Bourdon n'a pas envie de renoncer au mystère.

– Une chose à la fois, Bourdon ! dit George. Attendons de voir ce que nous dira Frida à son retour. Alex, tu ne pourrais pas nous faire quelques galettes au jambon ?

– Non, ce n'est pas possible ! répond Alex en souriant.

– Pourquoi ?

– Parce que nos amis sont musulmans, comme la plupart des gens en Algérie ! Et les musulmans ne mangent pas de porc. C'est pour ça qu'ils n'ont pas voulu goûter à mon bon saucisson et qu'ils l'ont donné à Chatpardeur.

– Comment ça du porc ? dit Bourdon. On ne va pas manger du porc ! Juste un peu de jambon !

Julia soupire en levant les yeux au ciel.

– C'est le même animal ! lui explique Alex en riant.

Bourdon s'apprête à lui demander « un animal ? » mais elle s'arrête et devient écarlate. Quand elle s'est régalée avec les exquises galettes au jambon d'Alex, elle n'a jamais pensé que ça venait d'un animal. L'idée lui est très désagréable. Mieux vaut se rabattre sur la crème au chocolat. Ça, au moins, ça ne vient pas d'un être vivant...

Un hennissement se fait entendre du côté de la clôture. C'est Gervir qui aimerait bien savoir s'ils ont l'intention de lui donner des pommes aujourd'hui. Bourdon court le retrouver et enfouit son visage dans sa belle crinière.

– Toi, en tout cas, on ne te mangera jamais ! le rassure-t-elle.

– N'en sois pas si sûre ! se moque Alex. Des tranches de viande de cheval fumée c'est excellent sur une tartine !

– Fais gaffe ! Toi aussi tu serais très bon sur une tartine, fumé et coupé en tranches ! lui rétorque Bourdon en lui jetant un regard plein de reproches.

## Chapitre 22
### *Du fromage dans les moustaches*

À la tombée de la nuit le jour suivant, les cousins entendent le pop-pop-pop du bateau taxi qui ramène tante Frida. Ils courent l'accueillir sur le ponton où elle descend, les bras encombrés de sacs et de paquets. Ils l'embrassent et lui demandent d'aller s'asseoir sur la balancelle parce qu'ils ont des choses à lui raconter.

– Nous avons résolu le mystère ! déclare Bourdon triomphalement en sautillant comme une balle en caoutchouc.

– Quel mystère ? demande Frida. Vous voulez dire que vous savez qui plagie mes œuvres ?

– Non, pas ce mystère-là, l'autre ! Nous savons qui se cachait dans la forêt, qui volait tes boîtes de conserve et l'eau de ton puits ! Mais ils étaient obligés ! Il fallait bien qu'ils boivent ! dit Bourdon en lançant un regard sévère à sa tante qui n'y comprend rien.

– Qui était obligé de boire ? demande-t-elle.

– On va tout t'expliquer depuis le début ! intervient Julia.

Elle raconte l'histoire des deux enfants algériens qui ont été abandonnés sur l'île aux Grèbes et qui ont failli mourir de faim et de soif. Le récit terminé, tante Frida reste silencieuse un long moment.

– Où sont-ils maintenant ? demande-t-elle finalement d'une voix émue.

Alex retourne dans la maison et va chercher Nabila et Amir qui, main dans la main, saluent poliment tante Frida. Elle les salue, à son tour, avant de commencer à leur parler. En français ! Frida a fait le tour du monde et connaît pas mal de choses.

– C'est terrible! s'écrie-t-elle soudain en regardant les cousins avec gravité. Ils ont perdu leur père et ils ne savent pas si leur mère est en vie. Il faut absolument qu'on retrouve leur oncle! IM-MÉ-DI-A-TE-MENT! insiste Frida en tapant du poing sur la table.

Julia s'efforce de la calmer.

– Bien sûr qu'il faut le retrouver, dit-elle, s'il est toujours en Suède! J'ai appelé le service des renseignements mais tout ce qu'ils peuvent me dire c'est que, s'il a le téléphone, son numéro est secret!

– Allons à la police! dit Frida. À SOS Sécurité! À la poste! À... À...

– Oui, il faut qu'on retourne en ville! dit Julia. À la bibliothèque. Si je dispose d'un ordinateur, je peux tout retrouver!

– Et l'autre mystère? Comment ça s'est passé? demande Bourdon qui n'a pas oublié ce qu'ils ont vu à Östhamn. Je veux dire, les plagieurs!

– Je ne sais pas si je suis plus en colère contre ceux qui ont plagié mes œuvres ou contre ces galeristes à la noix qui s'imaginent que MOI, je m'abaisserais à faire des sculptures représentant des fleurs et des papillons ! Ou des chatons ! DES CHATONS, VOUS VOUS RENDEZ COMPTE !!!

– Miaouuuuu ? « Qu'est-ce qu'il y a de mal à faire des sculptures de chatons ? » semble demander Chatpardeur.

– Oui, Chatpardeur ! C'est un vrai scandale ! Je ne limite pas mon art aux objets du réel ! Ce serait stupide que les gens regardent mes œuvres en se disant : « Oh, un tournesol ! Fabriqué avec de la tôle et des ficelles ! Voilà, c'est vu. Et alors ? »

– C'est vrai, tante Frida. On ne voit jamais ce que tes sculptures représentent ! dit George.

– Évidemment ! Ce n'est pas le but ! Je veux créer une ambiance, une émotion... une réflexion...

– Tu veux dire, une pensée comme : « Mais c'est quoi ce truc ? On ne voit même pas ce que ça représente ? » dit Bourdon avec insolence.

– Quand vous serez plus grands, vous comprendrez peut-être, rit-elle avant de reprendre un air grave. Mais pour l'instant on oublie ce petit problème, on a des choses plus importantes à faire. Julia a raison, on doit aller en ville pour trouver des renseignements sur leur oncle !

– Et s'il se cache quelque part en Suède? dit soudain George. J'ai lu qu'il y a beaucoup d'étrangers qui font ça. Des gens qui font tout pour ne pas retourner dans leur pays parce que c'est la guerre. Si c'est ça, on ne le retrouvera jamais!

Amir et Nabila les regardent avec inquiétude, comme s'ils sentaient qu'il y avait un problème et que ça les concernait.

– Si c'est foutu pour eux en Suède, je promets de les emmener avec moi en France! dit Alex. Là-bas, il y a beaucoup d'Algériens.

– Mais eux, ils veulent retrouver leur oncle! rappelle Julia. C'est peut-être la seule personne qui leur reste de leur famille! Il ne suffit pas qu'on vienne du même pays pour s'entendre! Si tu partais aux États-Unis pour voir ton oncle et que tu ne le trouvais pas, tu ne te dirais pas « Pfff c'est pas grave, je n'ai qu'à prendre un autre bonhomme à la place, à condition qu'il soit suédois »!

– Demain matin, Julia et moi, nous irons à Östhamn avec Nabila et Amir, annonce Frida. On essaiera de rappeler leur oncle. On contactera tous les opérateurs téléphoniques et aussi la police, s'il faut. On fera tout ce qu'on peut pour le retrouver ! Comment s'appelle-t-il déjà ?

Elle répète sa question en français.

– Oncle Abbas ! répondent les enfants d'une seule voix. Il est très gentil et il a une grosse moustache, ajoute Nabila.

– Maintenant on va manger un peu et après on se couche, dit Frida.

Tout le monde court dans tous les sens pour organiser la nuit. Frida sort deux matelas et prépare un lit pour Amir dans la chambre des garçons et un autre pour Nabila dans celle des filles. George et Julia accompagnent Amir à la grotte pour récupérer leurs affaires.

Pendant ce temps, Alex s'affaire dans la cuisine avec l'aide de Nabila. Bourdon est jalouse. Elle regarde la jeune fille qui prépare une salade en coupant des oranges en rondelles et en les saupoudrant d'oignons hachés puis elle fait des muffins salés aux olives et au fromage. Alex verse la pâte dans des petits moules qu'il a trouvés dans le placard à balais de Frida.

– Des olives dans un gâteau ! gémit Bourdon. Et des oignons avec des oranges ! On va manger ça pour de vrai? Moi, je sais presque faire des boulettes de viande, si vous voulez savoir! En tout cas, je sais faire cuire des boulettes surgelées!

Les muffins et la salade se révèlent être délicieux. Bourdon mange plus que tous les autres réunis et finit par avoir le hoquet. Du coup, elle pardonne presque à Alex et Nabila de s'être si bien entendus. Après le dîner, elle reste longtemps assise dans le fauteuil du jardin, le ventre plein et les yeux embués de sommeil. Chatpardeur, qui a eu droit à un bout de muffin, se tient dignement à côté de la table, les moustaches pleines de fromage fondu.

## Chapitre 23
### *Du bœuf ?*

Le jour suivant, Frida, Julia et les enfants se rendent à Östhamn de bonne heure. Ils renouvellent leurs tentatives de joindre l'oncle Abbas, mais toujours sans succès. Le numéro n'a pas l'air de fonctionner. Et ils découvrent qu'il n'y a pas de commissariat à Östhamn. Tante Frida est obligée d'appeler la police de Storvalla, située à soixante-dix kilomètres de là. Mais c'est la pause déjeuner et elle tombe sur le répondeur.

– Il ne faut surtout pas déranger ces messieurs qui doivent être en train de déjeuner tranquillement, s'indigne-t-elle. Heureusement que je n'ai pas été cambriolée !

Pour finir, ils se rendent à la bibliothèque. Julia, qui est très douée en informatique, s'installe devant un ordinateur et se lance dans des recherches sur le Net. En attendant, Amir et Nabila feuillettent des livres d'images, confortablement assis dans des fauteuils. Tante Frida se joint à eux, vacillant sous une pile de livres d'art.

Une heure passe. Oncle Abbas semble avoir disparu de la surface de la terre. À trois reprises, Julia trouve son nom dans l'annuaire des particuliers mais c'est chaque fois une mauvaise piste. Il y a un Abbas qui est conducteur de train à Lycksele et un autre qui est professeur d'arabe à l'université de Lund.

– J'ai aussi trouvé un étudiant de vingt ans habitant à Uppsala. Est-ce que ça pourrait être lui ? demande Julia.

Frida traduit la question mais Amir et Nabila secouent la tête.

– Oncle Abbas a presque cinquante ans! répond Nabila. Et il est passionné de foot! Il n'existe pas de listes d'Algériens vivant en Suède et passionnés de foot?

Julia poursuit ses recherches. Soudain, elle pousse un cri.

– J'ai trouvé une personne qui pourrait lui correspondre! C'est le directeur d'un club de foot dans la banlieue de Stockholm. Son numéro personnel n'est pas marqué mais il y a celui du club.

Julia compose le numéro puis tend son portable à Nabila. Après plusieurs sonneries, quelqu'un décroche. Nabila commence à parler. À toute vitesse. Elle est très tendue mais subitement son visage s'éclaire et ses mains se mettent à trembler, elle a du mal à tenir le téléphone. Ça doit être lui!

Nabila discute longuement avec la personne à l'autre bout du fil avant de tendre l'appareil à Frida. Elle hoche la tête à plusieurs reprises.

– C'est bien lui! C'est oncle Abbas! dit Nabila les yeux remplis de larmes. Il était fou de joie d'apprendre que nous avons réussi à venir jusqu'en Suède. Il m'a dit qu'il a plein de place et qu'on peut habiter chez lui. Quelle chance qu'il soit au club justement aujourd'hui et que ce soit lui qui ait décroché !

Amir et Nabila se serrent longuement dans les bras l'un de l'autre. Frida les enlace tous les deux et, pour finir, Julia se glisse parmi tous les bras du petit groupe. Puis elle appelle George pour lui faire part de la bonne nouvelle.

– Et maintenant, fêtons ça. On va vous acheter des vêtements ! Ce sera mon cadeau, déclare Frida.

Ils font un tour dans les rues d'Östhamn et Frida offre un jean, un pull et de jolies sandales à chacun des deux enfants, plus une robe d'été à Nabila. Pour finir, elle leur achète une valise rouge vernie qui servira à transporter leurs affaires.

À l'île aux Grèbes, une surprise les attend : George, Bourdon et Alex ont organisé une fête d'adieux. Ils ont trouvé des lanternes en papier avec l'inscription JOYEUSES FÊTES ! et les ont accrochées dans les arbres du jardin. Au milieu de la pelouse — à l'endroit où le paysage s'ouvre sur la mer — est dressée une grande table avec une nappe fleurie et des petites bougies dans des verres de toutes les couleurs. Un peu partout sont disposés des bocaux et des pots avec de gros bouquets de fleurs des champs. C'est Bourdon qui s'est occupée de la décoration florale. Elle a cueilli tout ce qu'elle a trouvé : des bleuets, des brins d'herbe, des orties... Dans les branches elle a accroché des ballons, des serpentins et des gadgets restés après une fête d'Halloween : une toile d'araignée, un grand squelette et des guirlandes avec des têtes de mort. Alex a eu beau essayer de l'en dissuader, elle n'a rien voulu entendre.

– Ça ne fait pas de mal de penser à la mort de temps en temps, a répondu Bourdon joyeusement.

George a trouvé un vieux tourne-disque qu'il a installé sur le rebord de la fenêtre. Dès qu'il a vu la barque s'approcher, il a ouvert les vitres et a mis le volume à fond. Un des morceaux favoris de Frida tournait sur le plateau : un tango avec plein de trompettes discordantes, de l'accordéon et du flonflon.

Alex s'est surpassé, comme d'habitude. À l'entrée du jardin, il a mis une table sur laquelle il a posé des petites bouchées apéritives piquées de cure-dents. Au milieu de la table trône un grand bol en verre rempli d'un punch rouge rubis à la limonade et aux fraises. Mais son punch a un aspect un peu étonnant, à cause de l'intervention de Bourdon. Alex lui a demandé d'aller chercher quelques feuilles de menthe dans son petit carré d'herbes aromatiques pour donner une note de couleur verte à sa préparation. Bourdon, qui n'aime pas faire les choses à moitié, a ramassé toute la menthe qu'elle a trouvée et l'a ensuite étalée en une couche épaisse à la surface de la boisson avec par-ci par-là quelques marguerites pour faire encore plus beau.

– Non, non ! hurle Alex en découvrant le résultat. Bourdon, tu as détruit mon punch ! On dirait un marécage !

– J'ai fait le drapeau de l'Algérie : rouge, vert et blanc ! explique Bourdon derrière le masque d'horreur qu'elle a enfilé.

Alex retourne dans la cuisine en râlant pour terminer le plat principal. Au bout de quelques minutes, il revient avec une poêle. Il la pose sur la table.

– Du bœuf ! annonce-t-il en français.

– *Böff* toi-même ! dit Bourdon en louchant sur les morceaux de viande.

– Bœuf en français signifie « biff » en suédois, comme dans bifteck, explique Julia en donnant un coup de coude à Bourdon.

– Du bœuf à la crème ! dit Alex. Amir et Nabila, ce n'est pas du porc, rassurez-vous.

Les deux enfants hochent vivement la tête, un grand sourire aux lèvres. Cela fait si longtemps qu'ils n'ont pas mangé de repas de fête.

– Pas mal du tout ! dit Bourdon la bouche pleine. C'est pour quand, les escargots et les grenouilles ?

– Les escargots, tu les auras demain matin pour ton petit déjeuner ! dit Alex en riant. Avec du beurre aillé. Et les grenouilles, ce sera pour le dîner. Mais il faut d'abord qu'on les attrape.

– Tu nous gâtes vraiment, Alex ! dit tante Frida. Un jour, tu seras un grand cuisinier, j'en suis sûre !

– Grand de taille ou d'importance ? demande Bourdon.

– Sans doute les deux, dit joyeusement Alex. Et alors toi et moi, Bourdon, on ouvrira un restaurant et on se tiendra devant la porte avec nos gros ventres, pour faire la pub pour nos bons plats !

La soirée est douce et agréable. Ils restent à table jusqu'à ce que le soleil descende dans la mer. Les bougies scintillent dans l'obscurité qui s'intensifie et les lanternes dans les arbres se balancent doucement, bercées par le vent du soir. Nabila et Amir entonnent une chanson algérienne mélancolique et Julia pense à ce que ça doit être de ne plus avoir de père et de ne pas savoir si sa mère est en vie. Elle pense aussi au fait qu'on peut aller en prison si on ne porte pas les vêtements qu'il faut...

## Chapitre 24
### *Le plagieur démasqué !*

Frida décide d'accompagner Amir et Nabila à Stockholm.

– Et si la police les arrête dans le train ! N'oublie pas qu'ils sont ici clandestinement, fait remarquer Julia.

– Combien de fois as-tu vu la police demander les papiers aux gens dans le train ? dit George.

– Jamais. Mais...

– Ça va bien se passer, les interrompt Frida. Et je serai avec eux ! Voilà le bateau taxi qui arrive.

Salut les chéris, je reviens dès que j'ai vu oncle Abbas.

Les cousins embrassent Nabila et Amir. Nabila offre à Julia un petit pendentif en forme de main et Julia retire sa bague en argent de son doigt et la lui donne en échange. Elles ne parlent pas la même langue mais leurs sourires signifient qu'elles espèrent avoir bientôt l'occasion de se revoir. George et Alex donnent une tape dans le dos d'Amir. Bourdon essaie de lui faire un bisou mais, visiblement mal à l'aise, le petit garçon recule. Peut-être se souvient-il des coups de maillet ? À la place, elle lui fait une caresse sur les cheveux.

Pour éviter de trop s'inquiéter durant la journée, les cousins s'occupent l'esprit en mettant en place tout un tas d'activités. George décide de repeindre les murs du rez-de-chaussée de la tour pour faire une surprise à Frida. Il débarrasse la pièce du fatras qui y traîne et se lance dans une scène sous-marine : des poissons de différentes tailles et couleurs nagent parmi des plantes aquatiques touffues. Le fond est recouvert d'un sable étincelant parsemé de cailloux, de tulipes de mer et de toutes sortes de coquillages. Julia lui donne un coup de main pour peindre les grands aplats de couleur.

À la fin de la journée, ils ont presque terminé un des murs et il ne reste plus de peinture.

– J'ai mis des mois à économiser pour m'acheter ces tubes de couleur, dit George, et voilà que tout est étalé sur ce mur ! Mais je trouve que ça valait le coup parce que maintenant je sais que c'est vraiment ça que je veux faire !

Alex, lui, s'affaire dans la cuisine. Il a fait une tarte aux pommes, cuite à l'envers, avec une belle couche de pommes caramelisée sur le dessus. Bourdon tend un doigt pour goûter mais reçoit immédiatement une petite tape sur la main.

– C'est pour ce soir, pour le retour de Frida ! lui dit Alex.

Vexée, Bourdon sort dans le jardin. Derrière la clôture, Gervir attend qu'on lui apporte une pomme. En le voyant, Bourdon a subitement une idée : elle va apprendre à Chatpardeur à monter à cheval. George a déjà essayé mais ça n'a pas marché, bien sûr, il ne comprend pas les animaux aussi bien qu'elle !

Chatpardeur dort tranquillement au soleil sur le rebord d'une fenêtre lorsque Bourdon le prend sous le bras et le porte jusqu'à Gervir. Après deux heures de travail intense, ils sont tous les trois épuisés, mais le chat arrive à tenir plusieurs minutes sur le dos du cheval pendant que celui-ci avance doucement. Un kilo de pommes et plusieurs boîtes de pâtée pour chats y sont passés mais Bourdon, qui est une petite fille obstinée, est arrivée à ses fins.

À la tombée de la nuit, Frida revient enfin à bord du bateau taxi. De loin, les cousins voient qu'elle déborde d'enthousiasme et d'impatience. Debout dans le bateau, elle agite un foulard rouge. À peine arrivée au ponton, elle descend à toute vitesse et court à leur rencontre.

– Oh! Oncle Abbas est un homme tellement sympathique! Il nous attendait à la gare avec un gros bouquet de fleurs. Les enfants et lui ne s'étaient pas vus depuis des années et ils se sont jetés dans les bras les uns des autres en pleurant. Ensuite, oncle Abbas nous a emmenés à son appartement à Hallonbergen. C'est un petit deux pièces mais il vient d'avoir un nouveau travail et il a l'intention de louer un logement plus grand pour que les enfants aient chacun leur chambre. En attendant, il dormira dans le salon et leur laissera sa chambre.

– Alors c'est sûr que Nabila et Amir vont pouvoir rester en Suède ? demande Alex.

– Rien n'est simple quand il s'agit de permis de séjour, répond tante Frida avec gravité. Mais ce sont des enfants et ils n'ont plus leurs parents, donc il faut l'espérer. Ça peut prendre des années avant que la décision soit définitive ! Et puis, la situation en Algérie peut changer et, dans ce cas, ils voudront peut-être retourner là-bas.

– Bien sûr qu'ils voudront ! affirme Bourdon. Ils veulent retrouver leur maman, évidemment. Et tous leurs copains ! Et peut-être qu'ils ont aussi été obligés de se séparer d'un chat ou d'une autre bête ! Mais tant que les gens là-bas continueront à se battre, il va bien falloir qu'ils restent ici.

– Une mère qui ne peut voir ses enfants qu'en cachette la nuit, dit Julia l'air pensive. Et un père qui est mort. Pouah ! Et moi qui en ai voulu à mes parents de trop s'absenter pour leur travail !

Alex hoche la tête.

– Mes parents aussi voyagent beaucoup pour leur travail, dit Alex. Mais je sais qu'ils reviennent toujours. C'est ça qui change tout.

– Frida, tu penses que leur oncle est quelqu'un de bien ? demande George.

– Il n'est pas bien, il est formidable ! Et tellement heureux de les avoir retrouvés ! répond Frida. Amir et Nabila sont peut-être les seuls qui lui restent de sa famille. Pour lui c'est comme d'avoir gagné le gros lot. Il m'a expliqué qu'il s'était senti vraiment seul en Suède.

Bourdon a une idée :

– Je vais écrire au roi ! Ma maîtresse m'a raconté que le grand-père du roi, ou peut-être son arrière-grand-père, était étranger, alors je suis sûre qu'il comprendra. Il pourra leur donner l'autorisation de rester en Suède. S'il ne peut pas faire ça, il ne vaut rien comme roi !

– Tante Frida ! s'écrie soudain Julia. On a complètement oublié de parler du type qui plagie ton travail !

– Tu penses à cet homme que vous avez vu monter dans une voiture et qui venait de vendre une de « mes » sculptures ? Malheureusement on ne le retrouvera jamais, vous n'avez même pas eu le temps de relever le numéro de sa plaque d'immatriculation.

– On a découvert la grotte d'Amir et de Nabila et du coup, cette histoire nous est sortie de la tête. Après, il y a eu trop de choses à régler.

– Je comprends. On sait quand même que ce petit plaisantin sévit dans les environs d'Östhamn et que c'est là qu'il faut chercher. C'est déjà ça.

– Non, on sait plus que ça ! s'exclame Julia. On sait aussi à quoi il ressemble.

– Ah bon ? Alors il faudra essayer d'expliquer tout ça à la police, répond Frida sans grand engagement.

– Pas la peine. On a son portrait.

Les cousins se tournent vers Julia.

– Comment ça ? Son portrait ? Personne n'a pris de photo ! rétorque George.

– Non, pas une photo, mais souvenez-vous de ce qui s'est passé ce jour-là dans le parc ?

– Oui, c'est là qu'on l'a vu la première fois... et George a... commence Alex d'une voix hésitante.

– C'est vrai, j'ai dessiné son portrait ! se rappelle George en se levant tellement vite qu'il manque de renverser la table.

Il se précipite vers la tour suivi des regards des autres. Au bout de quelques minutes, il réapparaît, son bloc à dessin à la main.

– Regarde, tante Frida ! C'est lui ! Je l'ai dessiné quand il était dans le parc. Tu penses que la police pourrait le reconnaître ?

– Ce n'est pas nécessaire, dit Frida avec un hochement de tête. Moi, je le reconnais !

– Quoi !?

– Ce dessin représente Bengt-Rambo Persson, explique Frida puis elle se tait un long moment.

– Mais raconte ! s'impatiente Bourdon.

– Bengt-Rambo Persson était un garçon qui avait des difficultés à l'école. Je connaissais sa mère parce qu'elle vendait des hot-dogs dans le port. Un jour, elle m'a demandé si Bengt-Rambo pouvait venir chez moi à l'île aux Grèbes pour apprendre la sculpture. Je l'ai accueilli pendant quelques semaines. Il me regardait travailler et reproduisait ensuite ce que je faisais. Il était plutôt doué et a fini par se débrouiller très bien avec la ficelle et la tôle.

– Mon Dieu! Alors c'est toi qui as formé le plagieur! s'écrie Julia.

– Oui. Mais il n'a pas eu besoin de moi pour comprendre qu'il pouvait gagner de l'argent en imitant mes œuvres. Quelle fripouille! Bah, il m'a fait perdre de gros contrats! En fait, je crois que je suis encore plus fâchée contre ceux qui lui ont acheté les sculptures. À quoi bon envoyer des œuvres d'art à des galeristes qui ne font même pas la différence entre mon style et celui de Bengt-Rambo? Ces imbéciles! rugit-elle soudain. J'arrête tout. Il n'a qu'à prendre la succession.

Tante Frida reste silencieuse un long moment, puis son visage se fend en un large sourire.

– Je crois que je vais me lancer dans un élevage de wombats à la place! dit-elle. Ça fait longtemps que cette idée me trotte dans la tête.

– Des wombats?! s'exclament les cousins à l'unisson.

– Ce sont des animaux très sympathiques qui vivent dans les forêts australiennes. On dirait de gros rats! Ils ont une apparence rigolote. Je suis sûre qu'ils se plairaient sur l'île et on n'aurait pas besoin de construire de clôture.

– Des rats ?

– Ce ne sont pas des rats, ce sont des marsupiaux. Un ami à moi travaille dans un zoo en Australie, il pourrait peut-être m'aider. Vous saviez qu'ils font des crottes carrées ? On dirait des cubes.

Le soir, allongée dans son lit au premier étage de la tour, Julia repense à sa tante qui vit exactement comme elle en a envie. Débordante d'énergie, elle est toujours prête à se lancer dans de nouveaux projets. Julia se souvient vaguement de sa mère lui racontant que Frida avait travaillé comme funambule dans sa jeunesse, puis comme bûcheronne. Elle est aussi partie en tournée avec une centaine de musiciens qui jouaient de la cithare. Alors pourquoi pas un élevage de wombats ?

Quelle chance que Frida nous ait proposé de revenir sur l'île aux Grèbes ! songe-t-elle. Les quatre cousins Karlsson, Chatpardeur, Gervir et peut-être Amir et Nabila vont se réunir de nouveau et retrouver cette tante fantasque entourée de ses wombats ! Comment Chatpardeur se comporte-ra-t-il avec ces bêtes ? Ce sera une nouvelle expérience pour lui de recevoir des roustes d'un gros rat… Oh, vivement l'été prochain !

À l'étage au-dessus, George se dit en bâillant que leur prochain séjour sera forcément plus calme. Ils passeront leur temps à se baigner et à se régaler des bons plats d'Alex. Il ne peut quand même pas y avoir des étrangers mystérieux cachés sur l'île tous les ans…

Après ces réflexions, les deux cousins s'endorment. Alex, Bourdon et Chatpardeur se trouvent depuis longtemps déjà dans les bras de Morphée.

En revanche, tante Frida ne dort pas. Assise dans son lit à baldaquin, elle téléphone en Australie où il est midi et où les gens se préparent à passer à table.

Les vagues de la mer vont et viennent, la lune est pleine. C'est exactement comme ça doit être.

Mais Julia et George ont tort. Ils reviendront à l'île aux Grèbes plus tôt que prévu. Et leur séjour sera tout sauf calme !

# Table des matières